音声×AIがもたらすビジネス革命

VOICE ANALYSIS

Business Revolution
brought about by
Voice x AI

會田武史
AIDA TAKESHI

幻冬舎 MC

音声×AIがもたらすビジネス革命

VOICE

Business Revolution
brought about by
Voice × AI

ANALYSIS

はじめに

ＡＩの普及によってビジネスの世界が大きく変わり始めています。「近い将来、日本国内の約半分の仕事がＡＩに完全に取って代わられる」という野村総研とオックスフォード大学の共同研究の結果（２０１５年）は多くのビジネスパーソンに衝撃を与え、すでに職場では簡単な事務作業や顧客対応などは自動化されてＡＩ活用が広がりつつあります。

さらに近年ではＣｈａｔＧＰＴに代表される生成ＡＩ（ジェネレーティブＡＩ）の登場によって、文章や画像、音楽、動画などのコンテンツづくりすらもＡＩが担うことができるようになりました。生成ＡＩとは事前に学習したデータを基に、人間の手を介さず自動でコンテンツを生成する人工知能であり、生成ＡＩを活用することでこれまで以上に業務効率や生産性を向上させることが可能になるのです。

生成ＡＩに学習させるデータとしてはテキストや画像はすぐに思い浮かぶかもしれませんが、実は有効活用できるにもかかわらずほとんど活用されずに眠ってしまっているものとして「音声データ」があります。

音声データは比較的簡単に収集することができるうえに、膨大な情報が含まれています。ＡＩに学習させるにはうってつけのデータなのですが、多くの人にとっては何かあったときのために残しているただの記録にしかなっておらず、活用にまで至っていません。

私は現在、音声解析ＡＩの会社を経営しています。２０１７年の起業当時はまだ今ほどＡＩは普及していなかったものの、２０１８年10月には電話営業を可視化する人工知能ソフトウェア『MiiTel』をリリースし、２０２４年４月現在では７万８０００人を超えるユーザー、２３７０社の企業に利用されています。

私は、情報の宝庫である音声データとＡＩを掛け合わせることで、ビジネスシーンに大きな変革をもたらすことができると考えています。

例えば、電話で話した際に手入力で記録を残している場合、話した内容を細かく記載するのは労力がかかり、多くの場合単純作業のため時間の無駄です。また、相手がどのような温度感やニュアンスだったのかなどを細かく文字にすることは非常に困難です。

そこで音声データをＡＩに解析させます。すると話し方の特徴を分析・可視化できたり、どのような話をした際に相手が反応を示したのかが分かったりと、自分で手間暇をかけてまとめたり分析をしたりしなくても、音声データとＡＩの力でコミュニケーションを最適化させることができるのです。

ほかにも、自動で商談や社内会議などを文字起こし・要約して議事録を作成するだけでなく、話した内容をトピックごとに分けて、感情の変遷なども併せて共有することで、自分の工数を掛けずに正確な情報を伝達できるようになります。これにより、メモを取る時間や内容を振り返る時間が短縮されて生産性が向上し、商談や会議に集中できるため議論の質も高まります。また情報共有される側の視点では、より精緻に内容把握できるため、ミスコミュニケーションが減ります。

このような活用事例はまだ少なく、音声データの価値に気づいている企業も少数です。未活用のまま垂れ流しになっている音声データの収集と活用の仕組みを構築することが、ＡＩを当たり前に使う時代を勝ち抜いていくための重要な戦略になるのです。

本書はＡＩ時代における音声データの価値と、音声データ活用の仕組みづくりについて解説します。企業が業務の自動化、効率化、省人化によってＡＩ時代を勝ち抜いていくために、そして、個人がＡＩの使い手として自らの市場価値を高めていくために、本書が一助となれば幸いです。

目次

第2章

「音声×AI」がもたらす革命――。

これまで価値を見いだされてこなかった音声データを有効活用する

第3章

営業、商品開発、人材育成……

「音声×AI」によって従来のビジネスシーンはこう変わる

第4章

「音声×AI」でビジネスに変革をもたらすために——。

必要なのは効率的な
音声データの収集・活用の仕組みづくり

第5章

これから迎えるＡＩ全盛時代……
音声データがもつ価値はますます高まっていく

第 1 章

作業の効率化、新たなアイデアの創出、
専門技術の開放……

ビジネスの世界で存在感を増す生成AI

VOICE ANALYSIS

Business Revolution
brought about by
Voice x AI

生成ＡＩのカンブリア大爆発的な進化

人類の技術史において、ＡＩの進化は未知の領域へと私たちを導いています。

長年にわたって、先端技術の成長速度はムーアの法則に従って説明されてきました。ムーアの法則とは、半導体の集積回路内のトランジスタ数がおおよそ2年ごとに倍増するという観測結果に基づく法則です。これは目覚ましい成長スピードに見えますが、言い換えれば2年で2倍というスピードは、システムやツールの物理的な制約によって制限されていたということでもあります。

これに対してＡＩはこれまでの予測をはるかに超えるスピードで進化しています。ムーアの法則のような指数関数的なスピードではなく、生命の歴史におけるカンブリア紀を彷彿《ほうふつ》とさせるようなカンブリア大爆発的な進化です。カンブリア紀にはなんの前触れもなく、突然多様な生物が出現し始めました。ＡＩ技術もまた、予測不能な速度で進化し、その形態を急激に変化させています。ＡＩの進化は単なる技術的進歩を超えて、まったく新しい創造の時代を引き起こしているのです。

２０２２年11月にはＯｐｅｎＡＩ社がＧＰＴ（Generative Pre-trained Transformer）というＬＬＭ（Large Language Model：大規模言語モデル）を搭載したチャットボット、ＣｈａｔＧＰＴを発表し、世界を驚かせました。

ＧＰＴは２０１８年に初版が発表されて以降、急激に進化しながらアップデートを繰り返しており、２０２３年11月にはＧＰＴ-４ Ｔｕｒｂｏが発表されています。

ＬＬＭを進化させるためには、文章生成の観点に絞ると大きく分けて２つの要素が重要になります。言語モデル（参照する辞書のようなもの）の大きさと、一度に処理できるテキストの量です。言語モデルについては辞書に記載されている内容が充実していればいるほど、いろいろな質問に答えられるようになるのと一緒で、あらゆる分野のあらゆる文章を搭載することがポイントになります。言語モデルについての充実度はパラメータという値で表しますが、とにかくパラメータ数を増やすことが重要になります。

一方、処理能力については、一度に処理できるテキストの量が多くなればなるほど、前提条件を細かく指定したり、たくさんのテキストを出力したりできるようになります。この一度に処理できるテキスト量を表す単位には、「トークン」が使われます。

ＣｈａｔＧＰＴの無料版に搭載されているＧＰＴ-３・５は４０９６トークンで、ＧＰＴ-４ Ｔｕｒｂｏは12万８０００トークンとなっています。厳密には異なりますが、トークン＝文字と考えればおおよそ問題はなく、４０９６トークン＝約４０００文字にあたります。一般的なビジネス書１冊における文字数は10万字前後といわれているので、ＧＰＴ-４ Ｔｕｒｂｏはビジネス書一冊分を「記憶・参照」したうえで、回答生成できるということです。

ＧＰＴ-３・５が発表されたのが２０２２年11月ですから、ＧＰＴ-Ｔｕｒｂｏが発表された２０２３年11月までの１年間にトークンが約31倍になった計算です。言語モデルの大きさを表すパラメータ数も、２０１８年に発表されたＧＰＴ初版は1億１７００万パラメータだったのが、その2年後に発表されたＧＰＴ－３は１７５０億パラメータとなっており、2年で約１５００倍になっています。

パラメータとトークンサイズは、今後も爆発的に大きくなっていくので、人間と人工知能の差は加速度的に広がっていきます（より小さなモデルでより正確な回答を出すという流れもありますが、単純化のためにここでは割愛します）。２０２３年10月の講演でソフトバンクの孫 正義氏が、今の人間と猿の脳との計算量の差が、10年後のＡＩと人間の計算量の差に匹敵すると例えたのはまさにその状況を的確に表現したものといえます。

このような話をすると、ＧＰＴの行っている、次にどんな単語が来るのが言語的に確からしいのかを予測して文章を「生成」することが、人間的な知能につながるわけはない、人間の知能はもっと高度なものであると思う人もいます。そもそもホモ・サピエンスは、大脳に言語野を持ったことにより、さまざまな物事を伝承できるようになり、やがて文化・文明・科学を発展させていきました。この前提に立つと、ホモ・サピエンスの発展は、時空間に依存しない言語的な意思疎通の積み重ねによって成り立ち、それが高度な知能を生み出したと考えられます。すなわち知能＝言語的なコミュニケーションと言っても過言ではありません。

人間の子どもは起きている事象に対して言葉を羅列し、はじめは文法的に間違っていても、周りの人が何回も正すことによって正しい言語を習得します。言語を知能ととらえると、起きた事象に対して、どんな単語を羅列したらよいのか大脳が一生懸命計算して連続的に発話しているにすぎない、という考え方もできます。その前提に立つと、ＧＰＴが文章を生成する過程も知能を獲得する過程に似ています。ＧＰＴは次にどんな単語が来るのが言語的に確からしいのか連続的に計算・予測して文章を「生成」しているにすぎませんが、一定程度知的なアウトプットができます。そして、人間が正すことでさらにその結果がブラッシュアップされます。

カンブリア大爆発的に進化するＡＩは、確実に人間的な知能に近づいているのです。

ＡＩ活用が当たり前になる社会

ＣｈａｔＧＰＴの登場によって４度目のＡＩブームが到来したといわれていますが、このブームは間もなく過去のＡＩブームとは違う終わり方をすると予想されています。

ブームは、その時代ごとの社会的な大きな変化を背景として始まり、やがて時間が経つことによって終わりますが、その終わり方は２通りあります。

一つは、一過性で終わるパターンです。これは食べ物やファッションなどによく見られ、生活に定着することなく消えていきます。もう一つはブームが日常生活に定着するパターンです。これまでのＡＩブームは全て一過性のものでした。しかし、今回の第４次ＡＩブームは一過性ではなく、日常の生活や仕事に不可欠なものとなり、当たり前にあるものとして社会に定着すると見込まれます。

ＩＴの世界で見ると、日常に定着し、当たり前になって終わったブームの代表的な例が２つあります。一つはインターネット検索です。この分野では、１９９０年代にヤフーがネット検索の仕組みを作ったことによりＩＴバブルが起きました。バブルはブームの一種です。これにより、意識の面では「必要な情報はネットで探せる」という認識が進み、行動の面ではネットで調べ物をすることが当たり前になりました。

２つ目の例は、ＳＮＳです。２００７年のｉＰｈｏｎｅの発売などをきっかけに、今では世界中に普及したスマートフォンにより情報へのアクセスが飛躍的に簡単になりました。このスマートフォンの普及に伴い、発達したのがＳＮＳです。人々は調べ物をして情報を得るだけではなく、自ら情報を発信できるようになり、コミュニケーションが双方向に広がるようになりました。ＳＮＳはブームになり、いまやコミュニケーションツールとして定着しています。ＳＮＳがなければ友達と連絡が取れなくなる人もいるほどです。

2つの例に共通しているのは「圧倒的に便利」であり「誰にでも簡単に使える」ことです。これらはブームが社会に定着する条件であり、この2つを満たすことで仕事や生活に革命が起きます。

生成ＡＩも、この2つを満たしています。生成ＡＩは、ネット上の大量のデータを使い、文章、画像、映像を簡単に作り出せることが特徴です。ただ、その価値の本質はもっと深いところにあります。

ネット検索がデータの民主化、ＳＮＳが情報通信の民主化をもたらしたとするならば、生成ＡＩブームはＡＩ活用が民主化したことを表しています。第2次ＡＩブームまで、ＡＩは用途、専門性、コストなどの点で一部の技術者や研究者しか触れることができませんでした。しかし、誰もがＣｈａｔＧＰＴを使えるようになった現状が示しているとおり、これからの社会ではＡＩも自由に、しかも安価で使えるようになります。

これにより、企業は単純作業をＡＩに任せたり、ＡＩによる市場の分析で新たな商機を生み出したりしながら事業を伸ばすことができます。そのような企業で働く個人も、業務の効率化によって生まれた時間を自分の好きなことに使いながら人間らしい営みができるようになります。ＡＩの民主化によって業務や生活が「圧倒的に便利」になり、安価に使えるサービスが増えることによって「誰にでも簡単に使える」ようになります。その結果、ネット検索やＳＮＳの普及と同じくらい、あるいはそれ以上の変革が起き、日常に定着していくと考えられているのです。

飛びついた人が優位に立つ

定着して終わるブームは、不可逆な社会変化を起こします。不可逆とは、ネット検索やＳＮＳのない社会に今さら戻ることはできないということであり、ブームが収まったあとの社会は別世界になります。生成ＡＩも同じくらいのインパクトをもたらし、ＡＩが民主化されることによって、仕事や日常生活で使うことが当たり前になり、使わないことがありえない社会になるのです。

この一方通行の流れの中では、変化に飛びつくことが重要です。目の前の生成ＡＩブームに飛び乗り、活用方法を考えて実際に試す人が、変化した新しい社会で先頭集団を走ることができるからです。

日頃の業務では、すでにＡＩを業務に組み込み、当たり前に使っている人や企業があります。

まず利便性という観点では、ＡＩはムリ、ムダ、ムラの解消に役立ちます。例えば、長文の議事録を作るのも読むのも手間がかかりますが、音声認識を使えば自動で文字起こしされ、さらに生成ＡＩを活用すればあらゆるフォーマットで議事録作成もできます。ＣｈａｔＧＰＴを見ても分かるように、テキストからの要点の抜き出しは生成ＡＩの得意分野で、代表的な機能でもあります。ほかにも、顧客からの問い合わせ対応でチャットボットを使ったり、アンケート回答を集計したりグラフ化したりするケースが増えており、これらもＡＩを使っています。

次に「誰でも簡単に」という観点では、ＡＩは個人のスキル差を埋め、足りないスキルを補います。例えば、工場ではＡＩによる画像分析で不良品を検出しています。これは品質管理をする人のスキルや経験を問わず、誰でも一定の検査ができるようにする仕組みです。翻訳もＡＩが活躍します。この機能を使うことで、語学が苦手な人でも海外の情報にアクセスでき、商圏を広げることもできます。

もうすでにこのような機能を当たり前に使っている企業と、使ったことがない企業との間には差が生まれています。

今後も、便利さへの無限の欲求と、テクノロジーのさらなる進化によって、ビジネスでのＡＩ活用は進みます。その中で、ＡＩを使う人と使わない人の差は拡大していきます。これは大きなチャンスです。どのような活用ができ、どれくらいの効果が得られるかが未確定なカオスな状況だからこそ、あらゆる機会に飛びつくことによって市場での優位性を獲得する蓋然性を高めることができます。

ＡＩを活用しなければならない日本の特徴

さらに日本にはＡＩを活用しなければならない特有の事情もあります。それは労働力不足の問題です。

日本はすでに人口減少の傾向にあります。２０２０年に１億２０００万人を超えていた人口は、２０５０年には９５００万人になり、２０７０年には８７００万人に減ります（国立社会保障・人口問題研究所の推計）。さらに深刻なのは日本企業の原動力となる生産年齢人口（15〜64歳）の減少で、２０２０年から２０７０年までの期間で７５００万人から４５００万人へと約４割減少します。

企業の成長が従業員の数と生産性の掛け算と考えると、人口減少によって雇用がより困難になる日本企業は大きなハンディキャップを背負っているといえます。これを乗り越えるには生産性を高めるしかありません。

現状は、業務のあらゆるところにムリ、ムダ、ムラがあり、日本企業の生産性は低い状態にあります。データを見ても、日本人の時間当たりの労働生産性（１時間でどれくらいの付加価値を生み出しているか）はＯＥＣＤ加盟38カ国中で30位です（図1）。この順位は、１９７０年以降で最も低い結果です。また、就業者１人当たりの労働生産性も38カ国中31位と低く、これも１９７０年以降で最も低い結果となりました（労働生産性の国際比較２０２３）。

生産性が低い要因の一つはテクノロジー活用が遅れていることです。ビジネスでのデジタル技術の活用度合いを調べた調査（「ＩＭＤ世界デジタル競争力ランキング２０２３」）を見ると、64の国と地域のうち日本は32位で、２０１７年の調査開始以来、過去最低の結果になっています。

ただし、日本企業がテクノロジーに鈍感なわけではありません。１つ例を挙げると、ＣｈａｔＧＰＴがリリースされてからの約半年間で、同社のサイトへの国別の

図1　OECD加盟諸国の時間当たりの労働生産性（2022年）

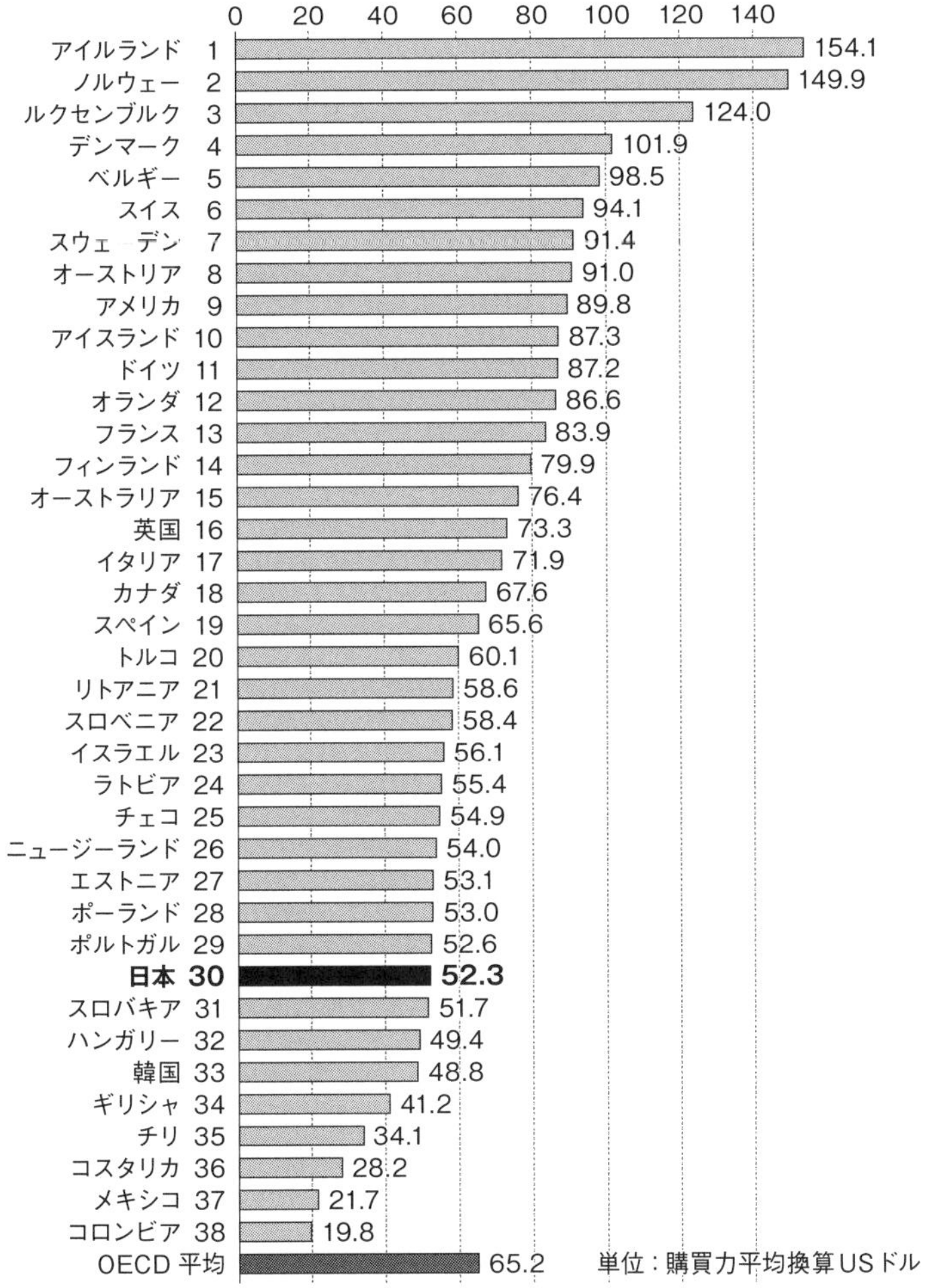

出典：日本生産性本部「労働生産性の国際比較 2023」

アクセス数は、アメリカ、インド、日本の順でした。人口当たりで計算すると日本が１位で、世界のどの国よりも興味を示しています。世界でもこの日本の関心の高さは十分に認識されており、ＣｈａｔＧＰＴを提供するＯｐｅｎＡＩ社は２０２４年４月にアジア初の拠点を東京に開きました。

新たなテクノロジーの活用が遅れると、いつまでも非効率的な働き方をすることになります。この状態が続くと、生産性が向上しないだけでなく、効率的に働くことを望むデジタルネイティブ世代に敬遠され、人手不足が加速します。

日本企業は、どの国の、どの企業よりも、ＡＩの民主化による恩恵をつかみにいかなければなりません。

ロジカルな業務も任せられる

ＡＩ活用によって生産性を高めていくためには、ＡＩには「何ができるのか」を理解することが重要です。ＡＩは脳を模し、本物の脳に近づき、追い越そうとしているものです。そのため、まず情報処理が簡単な業務からＡＩに代替されていきます。日々の業務では、ルーティン作業や単純作業が該当します。これらの作業主体の業務はＡＩに任せるのが適切で、近い未来、ほぼすべてがＡＩの仕事になるでしょう。

特定の情報処理のスピードにおいては、人の脳よりもＡＩのほうが優れています。「このデータを、特定の項目ごとに整理してテーブルとグラフを作成する」というようなＡＩへの指示の出し方さえ間違えなければ、ＡＩは瞬く間に正解をはじき出しますし、正確性にも優れています。そのため、データの処理、分析、レポート作成等の人間が行うと時間がかかる業務もすべてＡＩに置き換わります。

さらに、ＡＩは疲れることがないため、電源があれば24時間働くことができます。失敗してめげたり、落ち込んだりすることもなく、複数のタスクを同時進行でこなすことができます。

このような特徴も踏まえて業務を代替していくことで、日々の業務の質とスピードが向上し、より多くの業務をこなせるようになります。また、作業主体の業務に従事していた人を別の業務に充てることができ、業務の効率化とともに、人の配置や労働時間の配分の最適化を図れます。

一方で、まだ実務においては、判断、説得、提案のための資料作成といった、高度な情報処理が求められる業務が多くあります。これらの業務は、単純作業やルーティン作業と比べて、ＡＩによる代替が難しくなります。

ただし、ＡＩがカンブリア大爆発的に進化していることを考えれば、これらも近い将来代替されていくことが予想されます。例えば、プロジェクトを実行するかどうか判断する役割は、現在は人が担っています。しかし、市場の動向、競合の動向、過去の事例、収益予測などに関する十分な情報をAIに提供すれば、人よりもAIのほうが最適な判断ができるようになる可能性もあるのです。

Microsoft と LinkedIn が2024年に発表した調査結果によると、AIに精通しているユーザーは、少なくとも週に数回はAIを仕事で使用し、1日あたり30分以上の時間を節約しています。そして、AIを使用しているユーザーのうち、90%以上がAIによって膨大な作業が効率的に処理され、創造性が向上し、最も重要な仕事に集中できるようになったため、モチベーションが高まったと述べています。AIは確実に人間の仕事を代替し、その業務を楽しくすることに貢献し始めているのです。

ＡＩが経営判断を行う

会社ごとにデータが溜まり、ＡＩの能力が高くなれば、経営判断も任せられるようになります。

そもそも経営判断とは何かと考えたとき、さまざまな情報をもとに仮説を立て、会社を持続的に成長させるための最善策を選び続けることだと私は考えています。すなわち、経営判断とは、今後の市場動向や競合環境などのマクロ情報と、現場の今起きている課題感などのミクロ情報を組み合わせて一定の仮説を立て、戦略・戦術・リスク・リスクヘッジ策などを整理しながら、ＰＤＣＡを回して連続的に判断を下す一連のプロセスだということです。

仮説立てや、戦略・戦術・リスク・リスクヘッジ策の立案、ＰＤＣＡのモニタリングなどの一連のプロセスはどこで行われるかというと、メールやチャットなどのテキストでのやり取りと、日頃のミーティングなどの音声でのやり取りです。

この前提に立つと、経営判断をデータ化するためには、すべてのテキストおよび音声でのやり取りをデータ化する必要があります。テキストは、主にメール・チャット・文章ソフト等でやり取りされ、これらはすでに周辺情報に紐づけて整形された状態できれいにデータ化されています。

一方、音声は基本的に残されていません。ミーティングを録音・録画すると、すべての議論がデータ化され、一連の意思決定プロセスがデータとして蓄積されます。このデータをＡＩに読み込ませることができれば、各社の意思決定プロセスにふさわしい経営判断ＡＩを構築できるようになります。

これは経営者にとっては大きな変化で、超優秀な参謀を持つことができ、自由に使えるようになります。ＡＩ社会ではどれだけ優秀なＡＩの参謀を持つかが重要になり、戦略の質とスピードが市場内での企業の優位性に影響します。

生成ＡＩの活用が進むと、ＡＩによる経営判断の質はさらに高まります。これまでのＡＩは、基本的にルールベースで与えられたプログラムどおりに動くため、答えがない問いかけに答えを出すことはできませんでした。市場に関するデータや過去の事例を提示することはできますが、そこからヒントになるような変化やトレンドの示唆は人が見つけ出さなければなりません。

しかし、生成ＡＩからは、通常の人間の思考では思いつかないような偶然の産物が得られることがあります。あらゆるソースから引っ張ってきた大量のデータから、「このような方法がある」「このやり方ができる」というヒントを出力できるようになります。

自分に関するデータを大量に入力していけば、究極的には自分と同じ判断をする経営判断ＡＩも構築できます。経営者は日々意思決定をしているため、その意思決定に至るまでの過程のデータと意思決定後の結果データまで含めて一気通貫ですべてデータ化すれば、外部データから回答を検索・生成するＲＡＧ（検索拡張生成）対応や、基盤モデルを新しいモデルに微調整するファインチューニングをできるようになります。また、仕事以外の行動にも当人の価値観や考え方のクセなどが反映されるため、可能であれば日々の行動データもすべて入力します。すると、ＡＩの判断基準が自分に近づき、究極的には意思決定の分身になります。このＡＩを業務に使うことで、自分が現場にいなくても、稟議《りんぎ》や提案の許可や却下を任せて、自分の分身であるＡＩ参謀が上げてきた判断に対して「はい」か「いいえ」だけ答えればよくなります。過去に似た例がない判断はＡＩ参謀には意思決定できませんが、経営者はそれだけを扱えばよく、その判断もデータ化してＡＩに入力することで、次からは任せられるようになります。

日頃のコミュニケーションをデータ化することが手間だと思うかもしれませんが、音声データ基盤を構築したうえで音声ＡＩを活用すれば、会議での発言、判断、日々の会話などが自動ですべてデータとしてアセット（資産）化されます。手間をかけて入力しなくても、これまでの行動様式は変えずに分身が勝手に分身として成長する環境を構築することができます。

ＡＩの出力は、現状はまだ精度が低いかもしれません。しかし、生成ＡＩは新たな情報やデータを取り入れて進化するため、経営の意思決定に関わる知見も高度化します。

また、経営判断に「これ」という正解がないという点から見れば、ＡＩの示唆が間違っていることもありますが、歴史が物語っているとおりどんなに優秀な経営者であっても勘違いしたり思い込んだりするものです。意思決定に至るまでに参照できるデータの量はＡＩのほうが圧倒的に多く、量が多いほど情報の偏りも小さくなるため、より正解に近いという点ではＡＩの示唆を活用する意味は大きいといえます。

市場や競合のデータを踏まえることで、変化に適応しながら事業そのものを変革し、サステナブルなものに変えながら、競争優位性を生み出すこともできます。市場は常に変わるため、今売れている商品が10年後も売れている保証はありません。

持続的に成長していくためには、新しい商品を生み出すだけでなく、事業そのもの、または事業モデルを変える必要があるかもしれません。そのためのヒントもＡＩによる市場、競合、ニーズの分析によって整理できます。サステナブル経営の観点では、そこまで見据えたＡＩ活用を考える必要があります。

強いＡＩの使い方を考える

既存のＡＩは、解決したい課題の範囲を絞り込むことで、その領域で高度な専門性を発揮します。例えば、法律に関するデータを大量に与えると、ＡＩは法律文書のレビューや特定の法律に関する質問に回答することで法律の専門家を支援します。また、製品に関するデータを大量に与えることで、ＡＩは工場の製品検査において不良品を高精度で検出する役割を果たします。

今後はこれらのＡＩの学習範囲が広がり、特定の目的だけではなく、多様な課題に対応できるＡＩが生まれます。このような進化系のＡＩを、ＡＧＩ（Artificial General Intelligence）と言います。ＡＧＩは、多様な課題の解決に取り組む汎用的な知識と能力を持ち、そのために自分で学習しながら課題解決に導く力を持つことです。

もう一歩踏み込むと、データを与えてプログラムに従って動く既存のＡＩは「弱いＡＩ」、それらがなくても自分で状況を判断して行動ができるＡＧＩは「強いＡＩ」といえます。

現状はまだ強いＡＩはありませんが、ＡＩの技術革新の経緯を考えれば、近い将来実現する蓋然性は高く、ＡＩの民主化によって企業も活用できるようになるでしょう。

ＣｈａｔＧＰＴを開発したＯｐｅｎＡＩ社のミッションにもＡＧＩに関する記述があります。ミッションには次のように書かれています。

"Our mission is to ensure that artificial general intelligence benefits all of humanity."

翻訳すると、「私たちの使命は、汎用人工知能（ＡＧＩ）が人類すべてに利益をもたらすことを保証することです」という意味です。

先に紹介したMicrosoftとLinkedInの調査結果のようにＣｈａｔＧＰＴは精通しているユーザーですら、週に数回しか使っておらずたった30分強の時間の節約にしか至っていないという点でまだまだ弱いＡＩです。しかし、あらゆる業務が言語を使って処理されていることを考えると、言語を理解し、学ぶことができるＣｈａｔＧＰＴは、万能なＡＩの実現に近づく要素を持っています。

先に挙げたＯｐｅｎＡＩのミッションは、ＣｈａｔＧＰＴを普及させることではなく、それを通過点として、汎用性が高い人工知能の普及を目指していることを示しています。ＡＩの活用を考える経営も、この目線に合わせることが大事です。ＡＩの進化に適応しながら、柔軟で効果が大きい活用方法を考えていくことが、ＡＩの民主化による恩恵を最大限に享受することにつながり、ひいては企業の競争力の強化とサステナブルな成長に結びつきます。

ＡＩに「仕事をしていただく」

ＡＧＩが生まれると、より多くの業務をＡＩに任せられるようになります。また、ＡＧＩのさらに先を行く概念として、ＡＳＩ（Artificial Super Intelligence）があります。これはＡＧＩがさらに進化した、知能面で人を超えるＡＩのことを指します。ＡＳＩはあらゆる課題解決において人よりも優れた能力を持ちます。ＡＳＩが普及した社会になると、いよいよ人が業務に関わる必要性や意味はなくなっていきます。

これは重要な問いかけを生み出すことにもなります。ＡＩ（ＡＧＩやＡＳＩ）が人の代わりを務められるようになったときに、人は何をするのかを考えなければならなくなるのです。ＡＩが進化した社会を迎えるにあたって、この答えも用意しておかなければなりません。

経営者にとって重要なのは、企業が進む道を決めることです。ＡＩはあくまで生産性を高めるための手段で、目的を達成するために活用することで初めて価値を発揮します。少なくとも現時点ではＡＩ自身が目標を決めることはできませんし、導入することが目的でもありません。なんのために使うのかを決めるのは人であり、企業ではその役目を経営者が担います。

これからの社会を想定して、ＡＩを使いこなす体制へと変えていくことも重要です。組織づくりは、人がやらなければなりません。経営者なら組織全体を、マネージャーなら各部門の生産性を考慮して、業務プロセスや営業方法などをＡＩが最大限に能力を発揮できるように変革していくことが重要です。

しかし、一般論として「ＡＩが仕事を奪う」と考える人がいます。そのような考え方に基づいて、ＡＩ分野への投資に二の足を踏んでいる企業もあります。

確かにＡＩが仕事を奪うことは事実です。ＡＩが進化した社会では、人が業務に携わる価値は下がり、その領域も狭くなります。

しかし、生産年齢人口が減りゆく日本においては、むしろＡＩに「仕事をしていただく」必要があります。かつて古代ローマ時代においては、ローマ市民はさほど労働せずに公共浴場で語らうことで哲学やアートが発展し、社会的・文化的に繁栄しました。それと同様に私たちが経済的・社会的・文化的により豊かな社会を築くためには、いかにＡＩに労働してもらうかが重要であり、そのように考え方を改めることが、私たちの人生をより豊かにすることに直結します。

現状のＡＩは基本的に汎用的なデータを元につくられているので、より有効に業務で活用するためには、企業固有のデータを追加する必要があります。企業固有のデータを増やすためには、データを収集するハードウェア／ソフトウェアと、収集されたデータを溜めるデータ基盤の整備が必要です。

知識や経験が豊富な人ほど的確な判断ができるのと同様に、ＡＩも良質なデータがどれくらいあるかによって出力の質が変わります。そのことを念頭に置いて、可能な限りＡＩに学習させられるようにきれいに整形された状態のデータを蓄積できるデータ基盤・ソフトウェア・ハードウェアを整備する必要があります。

単純な音声ファイルに、音声認識エンジンによって文字化されたテキストデータや、話し方・感情解析エンジンの解析結果などを組み合わせることで、音声データが無形資産に変わります。音声コミュニケーションは、パーソナリティ・ニュアンス・緊急度・温度感などの詳細情報を含んだ極めて貴重なデータ資産であるにもかかわらず、これまで手付かずで放置されてきました。これまでこのような損失を生み出し続けてきていたことに、企業経営者をはじめビジネスパーソンはもっと危機感を持つ必要があります。

ＡＩで価値を生み出せる人が活躍する

人材の面では、ＡＩをより効果的に活用するために、人材の獲得と育成にも投資していく必要があります。

ＩＴ業界では、よく人材の採用難や人手不足が話題になります。人口減少の実態を踏まえても、採用は引き続き難しくなっていくと考えられます。

ＩＴ人材という括りで採用戦略を考えると、「データサイエンティストが足りない」「デジタル人材が足りない」という話になります。しかし、19世紀から20世紀にかけて活躍した経済学者のヨーゼフ・シュンペーターは、「イノベーションは新結合であり、すでに存在するものを、これまでにない方法で組み合わせることから生まれる」という定義を唱えています。この定義を踏まえると、ＩＴ分野の専門技術そのものよりも、データから新たな形式知を作れる人、それらを既存の知見と組み合わせてイノベーションを起こせる、または起こそうという意識を持っている人を増やすことが重要です。

中長期での商品開発や事業モデルの変革を生み出すという点では、知見の組み合わせによってどのような変革が起き、社会がどう変わるかを想像できる人材も必要です。さらに、イノベーションにつながる結合が起きやすいシステムの環境や使い方を考え、ＡＩ活用を推進していくために周りの人たちを巻き込み、全体をマネジメントできる人材も必要です。

人はエモーショナルな業務を担う

もう一つ重要なのは、感覚、感性、感情というエモーショナルな価値です。ＡＩが進化すると、効率を考えたり、ロジカルに考えたりするという点で、新しい脳としてのＡＩの価値が高まり、人の脳の相対的価値は下がります。

一方で、あらゆることが効率化され最適化されることにより、ＡＩに対処できない分野も浮き彫りになっていきます。それがエモーショナルな業務です。

例えば、ロジカルに考えると収益性が低そうなプロジェクトでも、感覚的に「なんとなく面白そうだ」と感じることがあります。性能や価格が似た商品で迷ったときに「この企業の商品を選びたい」と思うこともあります。

これらは感情に基づくイロジカル（非論理的）な判断です。理屈では説明しきれない世界であり、勘の世界ともいえます。

　これはＡＩには理解できない人間特有の価値観です。経営者も現場で働く人も、感覚を研ぎ澄ませ、感性を発揮し、周りの人や顧客の感情を理解することが重要になり、そのために時間と労力を使うことが求められます。また、それが企業と個人の価値を高めることに通じます。

　ＡＩ社会では、ＡＩに多くの業務を任せることで、イノベーションを生み出すための発想力を磨くことができます。そのために見識を広めたり、挑戦したりすることに時間を使えるようになります。ＡＩの普及とともに、人間を構成する要素のうち、何の相対的価値が上がる、あるいは下がるのかを見極めて、人材を育成していく環境を作ることもＡＩ社会に向けて必要な準備です。感情重視の判断は、その根拠を明確にすることが難しく、言い換えると、根拠を明確にしづらいからこそ、あらゆることをロジカルに判断するＡＩではなく、人が関わる価値があるともいえます。これもＡＩ活用と同じくらい重要な経営課題です。

表1　人とAIの業務のすみ分け

AIに向いている仕事	**ロジカルな分析と効率化** AIはデータを処理し、ロジカルな判断を下すのに適している。例えば、売上予測や資料の自動生成、営業スクリプトの作成など、具体的なデータや定量的な情報を基にした業務はAIの得意領域である。
	最適化とプロセス自動化 AIは製造ラインの最適化や不具合の早期発見など、効率的なプロセスを設計し実行することができる。
人間に向いている仕事	**感情に基づく業務と創造的な判断** 人間は感情や感覚に基づいて非論理的な判断を下すことができ、これが創造性やイノベーションの源泉となる。例えば、低収益かもしれないが魅力的なプロジェクトへの投資決定や、感情に訴えかけるマーケティング戦略の策定などがこれに該当する。
	感情的なコミュニケーションと人間関係の構築 顧客との信頼関係を築くための対面での営業や、個人の魅力が影響する交渉など、人間特有の感情を活用した業務に優れている。
	不確実性のある状況での判断 経営層が直面する「これから起こり得ること」に対する直感的な判断や、夢を追求するようなビジョンの提供。

第 2 章

「音声×AI」がもたらす革命——。

これまで価値を見いだされてこなかった音声データを有効活用する

VOICE

Business Revolution
brought about by
Voice x AI

ANALYSIS

ＡＩ活用の三大分野

ＡＩの活用はこれからますます加速します。サービス提供者が増え、企業の活用も進み、活用を通じた成果の競争も激化していきます。

その中心となる領域は大きく3つに分けられます。ＡＩは、学習に必要なデータがなければ効果を十分に発揮しませんが、逆にデータが豊富であればその性能を最大限に引き出すことができます。つまり、ＡＩの効果的な活用にはデータが不可欠です。企業のデータに目を向けてみると、主に画像・テキスト・音声の3つに分類されるため、この3つの領域でそれぞれ活用が進みます（図2）。

1点目の画像については、例えば画像認識エンジンにより、人やモノの状態や変化をカメラによってとらえられます。

図２　自然言語や画像の処理に生成AIを利用する

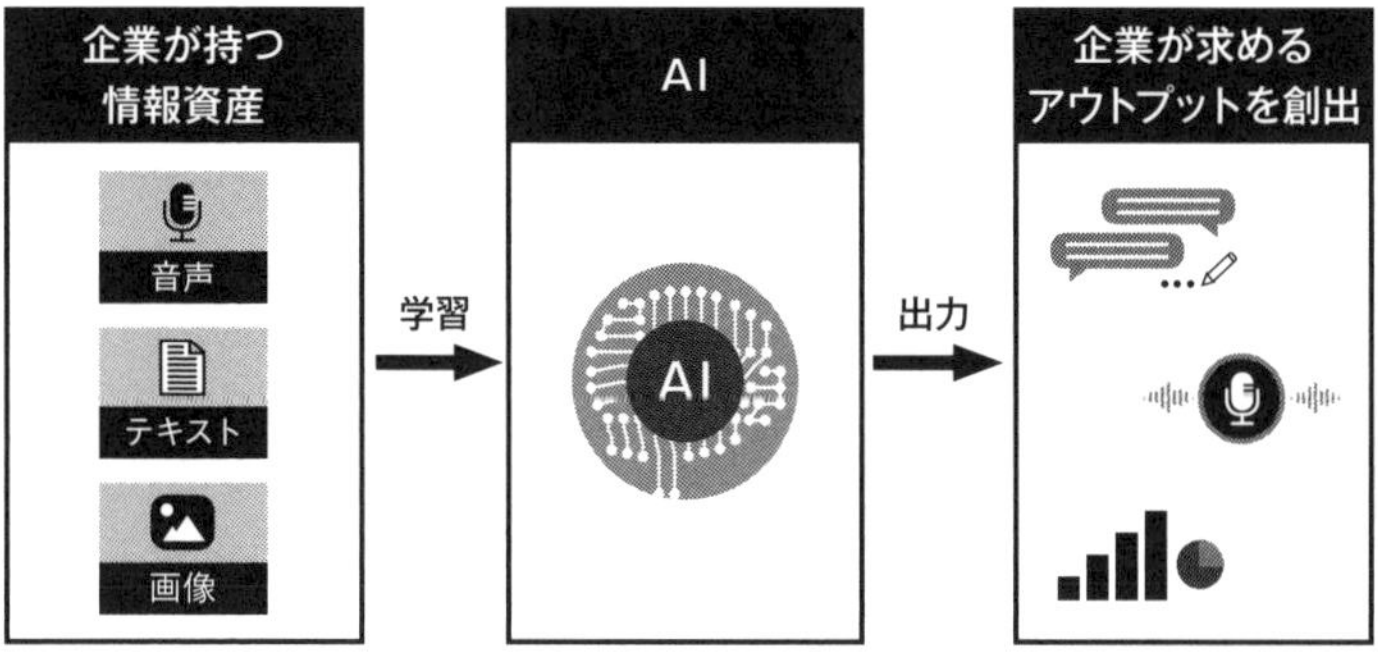

分かりやすい例が、日頃使っている人も多いスマホやＰＣの顔認識です。技術的には、これはパターン認識に含まれます。パターン認識は、対象とする人や物の特徴を記憶し、それに合致するかどうかを照らし合わせることによって個人や物を特定します。スマホやＰＣでこの技術を使って持ち主を特定し、セキュリティを高めています。

製造業では、製品の不具合を見つけ出す仕組みに画像認識が使われています。あらかじめ完成形の状態をＡＩに覚えさせ、その状態と違う製品がライン上で流れてきたときにアラートを出す仕組みです。橋などのインフラの状態を定点観測し、ひび割れなどの異変を見つけ出すことで施設の老朽化対策としても使われています。また、ＳＮＳ

ではユーザーが投稿する大量の写真から流行を探るなどトレンド観測にも使われます。

２点目のテキストについては、テキストマイニングなどの技術があり、こちらも読者の方ですでに活用している人も多いと思います。テキストマイニングは、例えばアンケートやＳＮＳなどの文字を対象とするもので、自然言語に含まれる特定のキーワードがどれくらい使われているか、どのような単語が多く出ているかという分析をします。ちなみに、自然言語というのは、人が日常的に使っている言語のことです。その分析結果を踏まえて、例えばＸ（旧Twitter）でどのような話題が盛り上がっているかを見つけ出します。

テキストマイニングが特徴的なのは、定性的な分析ができることです。定性的なデータ分析は、数値で表現できない複雑な情報を理解するために重要です。ＡＩは予実管理や労働時間という数字を扱う定量的なデータ分析が得意です。一方の定性的なデータは数値で表現できないことが多く、分析が難しい領域でした。

定性的なデータは、キーワードなどを分析することで読み解きができます。例えば、ある商品の売れ行きを分析する際に、アンケートの回答などから単語を抽出し、商品を買った理由を探ります。「安い」「おいしい」「家が近い」という単語が多ければ、そこから購入動機が見えてきます。また、「安い」と「おいしい」が多ければ、その情報を合わせることで安さと味に強みがあるという考察を導くことができます。

3つ目は、本書のテーマである音声で、技術としては音声認識や合成音声などがあります。これはiPhoneのSiriやAmazonのAlexaなどが分かりやすい例でしょう。音声認識もパターン認識と自然言語の解析を使うもので、マイクが拾った音声から言葉を認識します。

人は一日（平日）にだいたい13回の会話をし、1回あたり30分、一日の会話の合計で6時間ほどの会話をします（国立国語研究所調べ）。これだけ会話の回数と時間があれば、業務に関する重要な会話も行っているものです。意思決定に関わる相談もあれば、新たな価値創造につながるヒントを含む会話もあるかもしれません。

そのような観点から、音声認識は生活を便利にする情報入力の手段としてだけで

図３　音声データの活用

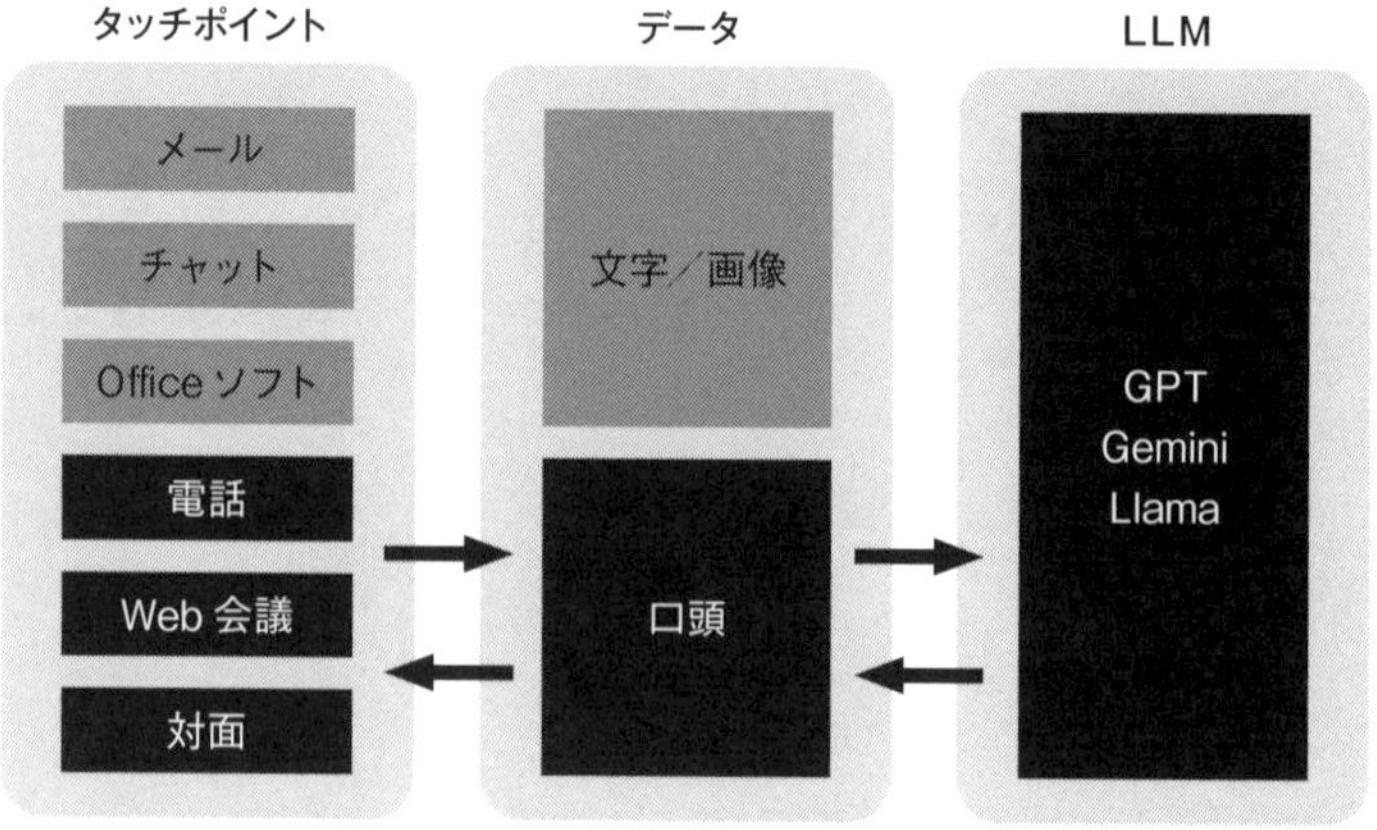

なく、顧客のニーズを探ったり、仕事の生産性を高めたりするヒントを獲得する手段として注目されています。

音声データの資産化を急ぐ

ＡＩ活用の三大分野（画像、テキスト、音声）を見ると、画像とテキストのＡＩ活用は事例が増えています。一方、音声の事例はまだ少ないのが現状です。

言い換えると、音声データの活用は

まだスタートしたばかりだということです。これは大きなチャンスです。これから迎えるＡＩ社会では、音声データの効果的な活用方法を見つけ出すことによって企業は市場での競争力を伸ばすことができます。

そのためには、まずはデータを溜める仕組みが必要です。その点でも、音声は画像やテキストと比べて遅れています。

例えば、画像データは工場などあらゆるところにあるカメラで取得でき、テキストデータもメールやメッセージのやり取りを含めて大量に存在します。しかし、音声は録音する機器と機会が少なく、データそのものが少ないといえます。会議の録音データやコールセンターでの顧客との会話を残している企業もありますが、そのほとんどは、単純な録音ファイル（生音源）として置いてあるだけで、ＡＩが分析できる状態にはなっていません。この状況を変えることが音声データを活用するための第一歩です。

音声ＡＩは多様で良質な音声データを大量に入力することで、ようやく価値を発揮し、企業と人にメリットをもたらします（図３）。

これはレコメンドエンジンを考えると分かりやすいでしょう。ネットショップで買い物をしたときに表示される追加の「おすすめ商品」の情報や、動画アプリで表示される「あなたにおすすめ」の動画は、利用者と同じ商品を買ったり、同じカテゴリーの動画を見たりした人を関連づけ、そのグループの中で人気がある商品などをレコメンド（推奨）する仕組みです。

この機能の背景には消費者の行動に関する膨大な量のデータがあります。質と量の両面でデータリッチになるほど推奨する商品も的確になります。

音声データの活用も同じで、データリッチになればなるほど出力の質が向上します。集めた音声データを活かすとどのようなメリットがあり、どのような変革を起こせるのかは、営業やコールセンターでの活用事例を見るとよく分かります。

コールセンターはどちらかというと、これまではコストセンターとして見なされがちな存在でした。しかし、実はいちばん顧客の声が集まる貴重な場です。本来はコストセンターではなくむしろ「セールスセンター」や「マーケティングセンター」としての機能を持つべき重要な顧客接点と考えられます。それにもかかわらず、単純に顧客との通話を録音しているだけで、まったくデータとして資産化されていない実情は、非常にもったいないです。

また営業では、従来、商談などの会話は録音されていなかったため、ブラックボックス化していました。ＡＩ社会では、このような音声が企業の重要なアセットになります（図４・５）。今まで資産といえば、石油や金など換金性がある有形資産が主でした。しかし、ＡＩ社会になるとこの概念が変わります。画像、テキスト、音声などのデータという無形資産を豊富に持つ企業が、資産を多く持つ企業と評価されます。また、ＡＩの民主化によってデータの活用機会が増えていくほど、企業が独自に持つデータの価値は高くなっていきます。

ある大手金融機関ではプロダクトアウト的に金融商品を提供していましたが、コールセンターでの会話をすべてビッグデータとして収集し、それをクオンツと呼ばれる金融商品を組成する人やマーケター、営業などに共有することによって、マーケットインの発想で顧客一人ひとりに合った金融商品の組成やマーケティン

図４　音声データのブラックボックス化問題

担当者
- ほかの営業や関係者に共有しづらい
- ニュアンスまで伝えきれない
- 活動を振り返りづらい

上司
- 担当のバイアスがかかってしまう
- 事実をもとにした課題を把握できない
- 失注分析や改善へのアドバイスが難しい

会議
- 議事録作成に手間と時間がかかる
- 意思決定の背景まで共有できない
- ナレッジが蓄積しない

コールセンター
- 応対スキルの改善ポイントが分からない
- 問題発生時にエビデンスがすぐ確認できない
- リアルタイムでの介入が難しい

図５　AI活用による音声データのアセット化

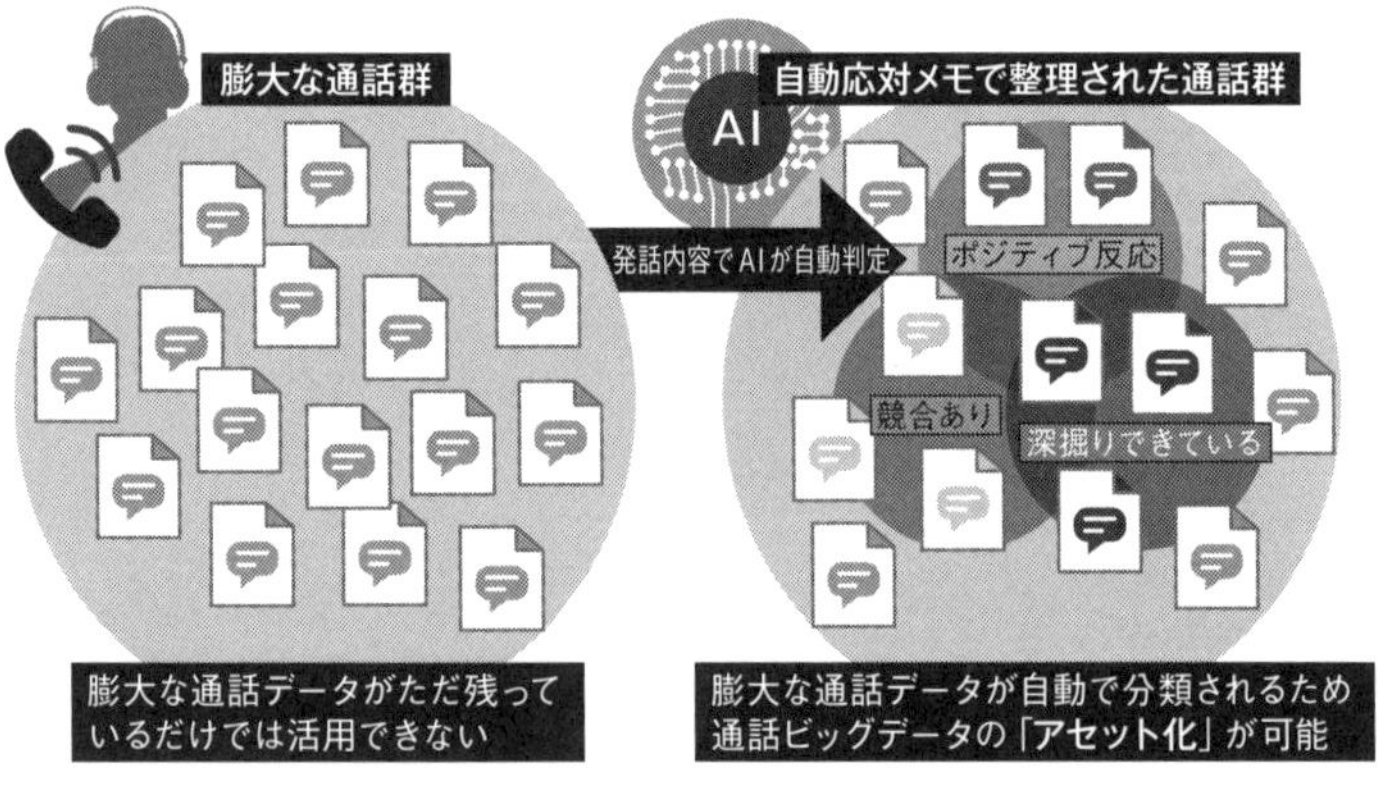

グ、営業活動に切り替え始めています。
また、音声データが溜まると、何月何日何時何分頃にどの地域にどのような提案を行うと顧客価値を最大化できるのかがデータとして明確になるため、自動顧客対応AI、自動営業AI、自動マーケティングAI、自動金融商品生成AIなどの構築も可能となります。

極めて優秀なアルゴリズム自体はすでに開発されているので、あとはこうした貴重な生の現場のデータを収集して、アルゴリズムに組み込み、活用できるかどうかが勝負となります。コールセンターのみならず、社内社外のすべての音声データをビッグデータとして資産化すれば、経営判断AIの構築にもつながります。

ＡＩと脳の情報処理は同じ仕組み

音声を溜め、音声データを活用していくためには、まずＡＩがどのように音声データを扱っているかを知っておく必要があります。その構造は基本的には人の脳と同じで、情報の入力、処理、出力の３つのステップで構成されています。

人間の脳は主に、視覚、味覚、嗅覚、触覚、聴覚の五感を通じて情報を入力します。それを脳で処理して身体に指示を出し、行動として出力に至ります。

例えば、目の前で大きな爆発が起きたら、ほとんどの人は逃げます。視覚や聴覚によって爆発が起きたことを認識し（入力）、危険を察して逃げるという判断をし（処理）、その指示が身体に伝わることで、逃げるという行動（出力）につながります。危険から逃げることができるのは、入力と処理、そしてそれに基づいて出力する能力のおかげです。五感を働かせて正確な情報を多く入力するほど、また、それらの情報を素早く理解し、どうすればよいかを導き出す処理能力が高まるほど、より早く、より安全な場所に逃げられるようになります。

ＡＩも同様に、ＡＩに与えるデータを増やし（入力）、計算能力を高めることにより（処理）、分析結果などのスピードや質（出力）が向上します。また、従来の出力は分析や予測などが主体でしたが、生成ＡＩが登場したことにより、文章、図、絵、音楽という多様な出力ができるようになりました。

近年のＡＩは、これら3点の能力が高まり、人の脳に近づき、むしろ一部では人間の能力を凌駕《りょうが》していると言っても過言ではありません。

音声の入力を見ると、コールセンターなどではすでに顧客との会話を録音するシステムが多く導入されています。一般的な商談や会議は、リモートでのやり取りが増え、音声を取得できる機会が増えました。これらは、対面のやりとりが主流だった頃は録音されることのなかった資産です。

日常生活ではスマートスピーカーを使ったり、スマホで音声入力したりする人が増えています。これらの音声を取得する機器類も高機能化し、ＡＩが扱えるデータの量が増えるとともに、音声の質も良くなっています。

処理の面では、パソコンやスマホの頭脳であるＣＰＵ（Central Processing Unit）の機能が進化しています。スマホを例にすると、ＣＰＵのクロック周波数（一定の時間内に処理できる数）が３ＧＨｚであれば、１秒間に30億回もの処理ができます。

そして出力の進化は、アルゴリズムの進化によるものです。アルゴリズムとは、問題を解決したり目標を達成したりするための計算や処理方法のことです。ＡＩの世界では、ディープラーニングなど機械学習のアルゴリズムが進化しています。機械学習は、コンピューターが自動でデータから学習し、データの背景にあるルールやパターンを発見するものです。このアルゴリズムが進化し、ＡＩによる音声データの分析や分類という出力の質が高まっています。

図6 音声の入力・処理・出力の図

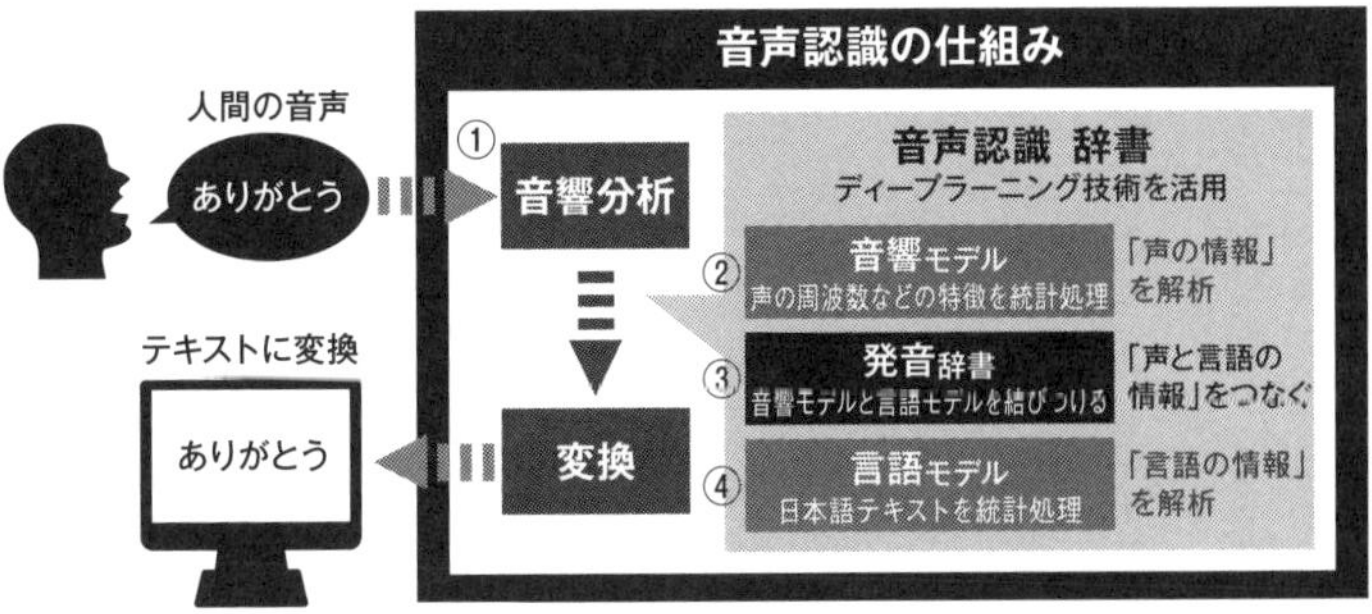

Cotra「【活用事例あり】音声認識とは？仕組み、4つの導入効果を徹底解説」を基に作成

言葉を理解する能力が高まった

音声データの活用は、録音した音声を生音源としてそのまま扱うのではなく、いったんテキストデータに変換してから分析などに使います。具体的には、まず音声を音響分析して特徴抽出を行います。音響分析は、音声の周波数、強弱、間隔などの特徴を数値に変換し、ＡＩが認識できる音声にすることです。

次に、音響分析したデータをＡＩが学習

した発音辞書と照らし合わせます。そして、文字列が文章として適切かどうかを評価する言語モデルによって意味が通じる単語列に変換します。これらの工程を経て、最終的に意味が通じる自然な文章に組み立てられ、テキストとして出力されます（図６）。

ここで重要なのは、ＡＩが統計的手法で単語や文章を処理して、適切に扱えるようになってきているという点です。この仕組みの基盤となるのはニューラルネットワークです。これは人の脳のニューロンの働きを模して作る計算モデルです。人の脳が複数の情報を処理して会話をするように、ＡＩのニューラルネットワークも似た仕組みによってデータを受け取り、適切な回答を導き出しています。

人間の脳は大脳皮質の左側または右側に言語野があり、言葉を理解する、話す、文字を理解するなどの言語機能を持っています。この機能を使うことで、仕事でも日常生活でも、人はコミュニケーションをとることができます。

人は、言語野を手に入れたことにより、知識や技術、感情や経験を伝えたり、聞いたりするだけでなく、それを記録に残して時空間を超えて伝承できるようにな

図７　LLMの仕組み

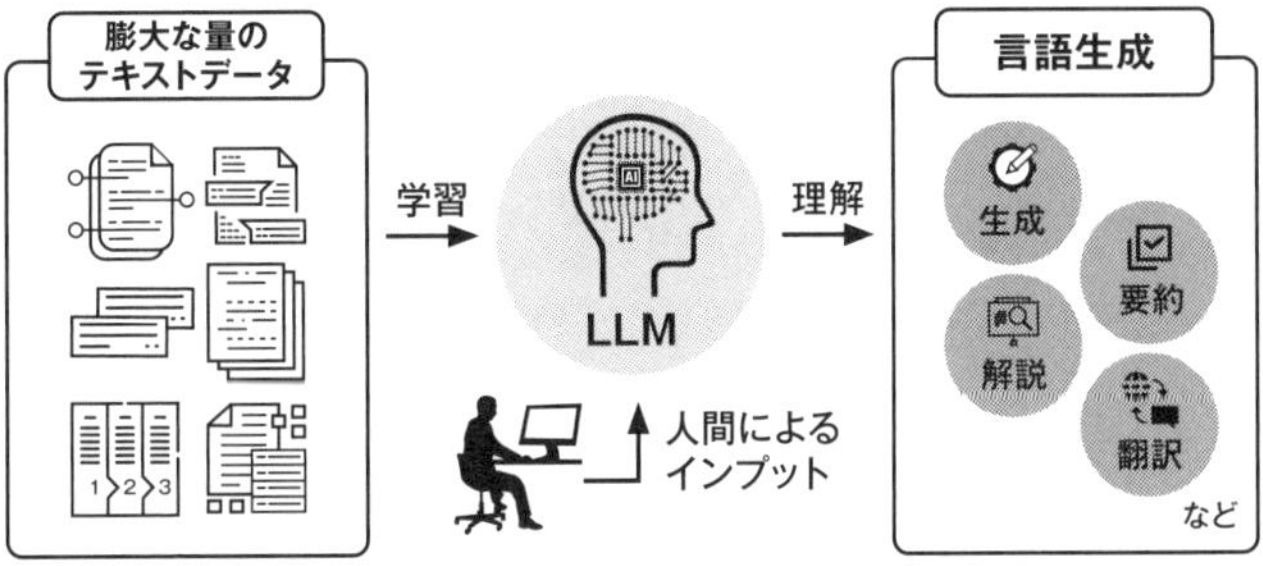

DOORS DX Media「LLM（大規模言語モデル）とは？生成 AIとの違いや活用事例・課題」を基に作成

り、長い歴史のなかでその積み重ねが文化、文明、科学の発展につながっています。これはほかの動物には見られない高度な言語能力であり、人を人たらしめている脳の重要な機能といえます。

一方で、ＡＩもこの機能を備え始めています。ＣｈａｔＧＰＴを例にすると、問いを投げ掛ければ、ＣｈａｔＧＰＴなりの答えが戻ってきます。そこでコミュニケーションが成立します。

ＡＩとコミュニケーションが成立するのは、ＬＬＭ（大規模言語モデル）を使って文章を生成しているためです（図７）。これは、膨大な量のテキストデータから人が使っている自然言語のパターンを学習し、単語の出現確率を分析して文章を生成するものです。例えば、「おはよう」に続く単語は「ございます」、「あけまして」に続く単語は「おめでとうございます」である確率が高いという判断をしながら、単語を組み合わせて文章にし、文章を重ねることで人のような自然な会話を実現しています。

ひらがな、カタカナ、外来語、英語、敬語、同音異義語、さらには方言などの複合的要因により、日本語はあらゆる言語の中でも特に難易度が高いといわれます。

現状の音声認識やＮＬＵ（Natural Language Understanding：自然言語理解）エンジンで、この複合的要因によって生じる微妙な差異を１００％理解することは難しいのですが、ＬＬＭの進化によって、標準語と方言、敬語と日常会話のような違いを含め、多様な言語変種や文脈を間違うことなく認識できるようになっています。

例えば、若者言葉やはやり言葉も学習します。例えば「やばい」には、危険という意味で使うときと、楽しい、おいしい、面白いというプラスの意味で使うときがあります。このような言葉も前後の文脈などから正しく意味を認識することができ

図８　情報の入力、処理、出力

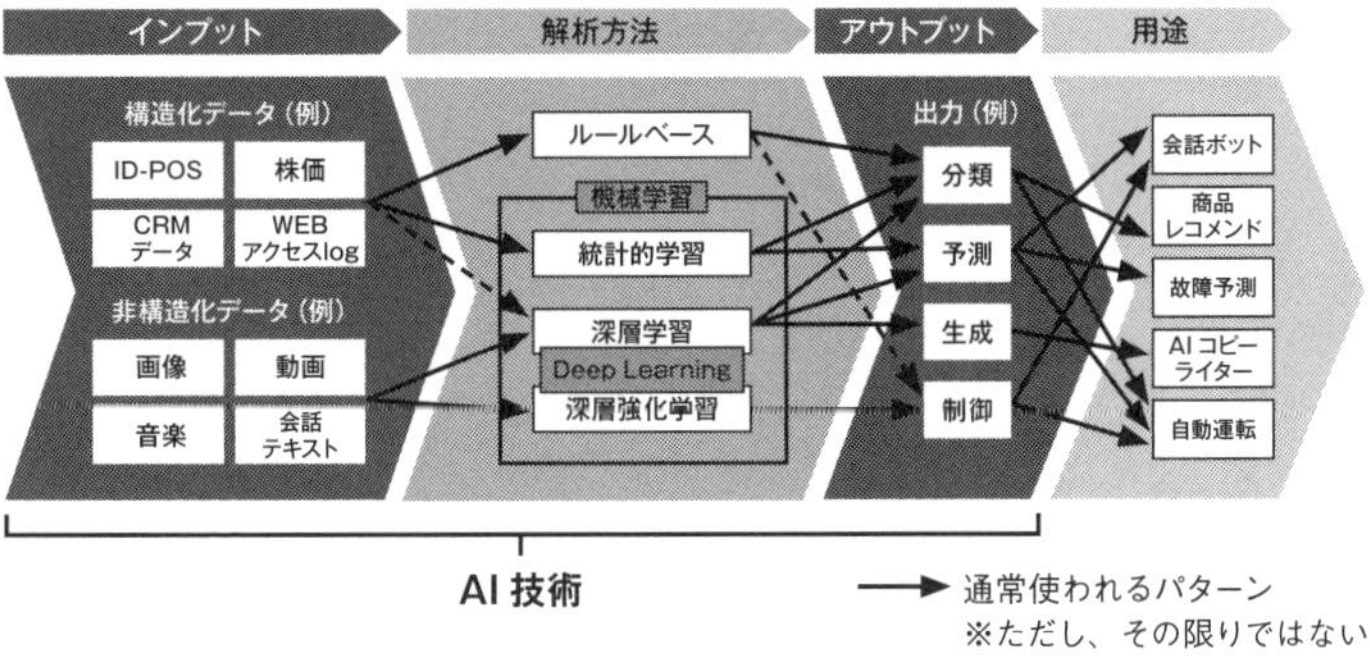

博報堂WEBマガジン The Central Dot「今さら聞けない『AI技術』の基礎知識」を基に作成

ます。

この機能が高度化すると出力の質が向上し、ＬＬＭは人の言語野と同様の機能を持ち、近い将来には特定の分野では凌駕するようになります。円滑に会話ができるＣｈａｔＧＰＴの登場は、人の脳とＡＩの差が小さくなったことの表れといえます。

高度化している音声認識

画像やテキストのＡＩ活用と比べる

と、音声データはその使い方や効果が十分に認知されていません。それが音声認識の普及が遅れている一因になっています。

しかし、未開拓であるこの分野にはさまざまな優れた技術があります。

入力の面では、音声を自動でテキスト化できます。これは、会議や商談などの議事録作成で便利な機能です。翻訳ソフトと組み合わせることで、会話のテキスト化と外国語への翻訳をほぼリアルタイムに行うこともできます。

処理の面では、「あー」「ええと」「あのー」という会話とは関係のないつなぎ言葉（フィラーと呼ばれます）を認識し、自動で省くことができます。この機能により、議事録を自動作成する際に、これらを省いてきれいな状態でテキスト化できます。

出力の面では、会話相手の声の大きさ、抑揚、話すスピードなど声の特徴と、話している内容の両方を踏まえて、相手の感情を分析することもできます。テキストの情報は基本的に平坦です。文末の「!」や「……」や「(笑)」などを読み取ることで多少の感情を把握することはできますが、音声のほうが感情がより正確に反映されます。その情報を読み取ることで、より深く、立体的な分析ができます。

これらの機能を使うことで、議事録、要約、感情分析という出力が得られますが、これらの機能とほかのＡＩを組み合わせることによって用途の幅はさらに広がります。

音声認識と画像認識を組み合わせると、読み取るデータが増えます。例えば、顧客が「いいですね」と言ったとき、その音声だけを聞くよりも、顧客の表情を見ながら聞くほうが感情を読み取ることが容易になります。会話相手の身ぶり手ぶりを見ることで熱意の大きさなども読み取れます。商談では、この話で笑顔になった、このテーマで前のめりになったという情報を画像を使って補足することで、顧客が興味を示したポイントなどを特定しやすくなります。

音声認識とテキストマイニングの組み合わせでは、テキスト化した音声データから特定のキーワードを抜き出し、会話の内容ごとに分類することができます。例えば、コールセンターでは、顧客からの問い合わせに含まれる単語からその内容を推察し、回答するために必要な資料を瞬時にオペレーターに提示することで、オプジェクションハンドリングやＦＡＱの支援ができるようになります。

情報の入力は声が主体になる

少し先に目を向けると、音声認識が普及し、当たり前になっていくことによってＵＩ（ユーザーインターフェース）革命が起こります。スマートフォンやコンピューターなどに入力する手段が大きく変わるのです。

現在の入力は、パソコンならキーボードとマウス、スマートフォンならフリック入力が主流です。これらのグラフィカルユーザーインターフェース（ＧＵＩ）はユーザーの使いやすさを重視して、視覚的にも触覚的にも進化してきました。

しかし、音声認識の精度が高まると音声入力のニーズが高まります。すでに世の中ではカーナビゲーションやＡｌｅｘａのようなスマートスピーカーなどを音声で

図9　音声入力のほうが圧倒的に速い

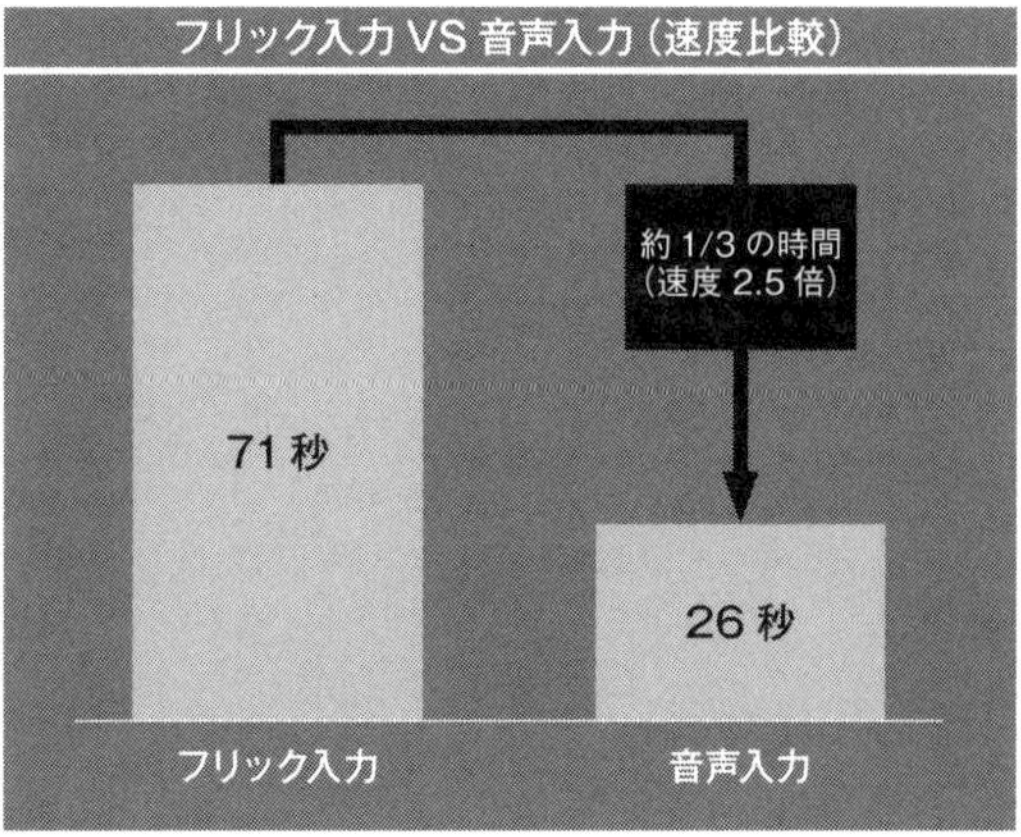

操作することが普及していますが、このようなデバイスが増えることで、GUIがボイスユーザーインターフェース（VUI）へと変わっていきます。

VUIの長所の1つ目は、入力がハンズフリーであることです。カーナビゲーションはこの長所を活かし、運転者がハンドルから手を離すことなく安全に運転できます。手が空くことで別の作業もできるようになり「ながら」操作ができます。私も運転する際、少し前まではカーナビを指で操作して目的地入力などをしていましたが、最近はハンドルにあるボタン1つで「車に話しかけながら」目的地を設定したり変更したりすることに完全に慣れてしまい、ＧＵＩにはもう戻れなくなってしまいました。

２つ目は、手動入力よりも速いことです（図９）。ＶＵＩに切り替えることにより操作時間の短縮につながり、タイムパフォーマンス（タイパ）が良くなります。今後は声質の分析能力も高まり、ｉＰｈｏｎｅが顔で個人を特定するように、声の識別によるセキュリティも高度化していきます。

このような社会は、従来はＳＦ映画の中の世界でした。しかし、技術的にも市場のニーズの面でも現実のものになろうとしています。近い将来社会科の教科書には、パソコンに向かってキーボードを打ち込んだり、スマートフォンを手で操作したりする様子がＡＩの進化の歴史として紹介されているかもしれません。

図10　音声は可処分時間が圧倒的に増える

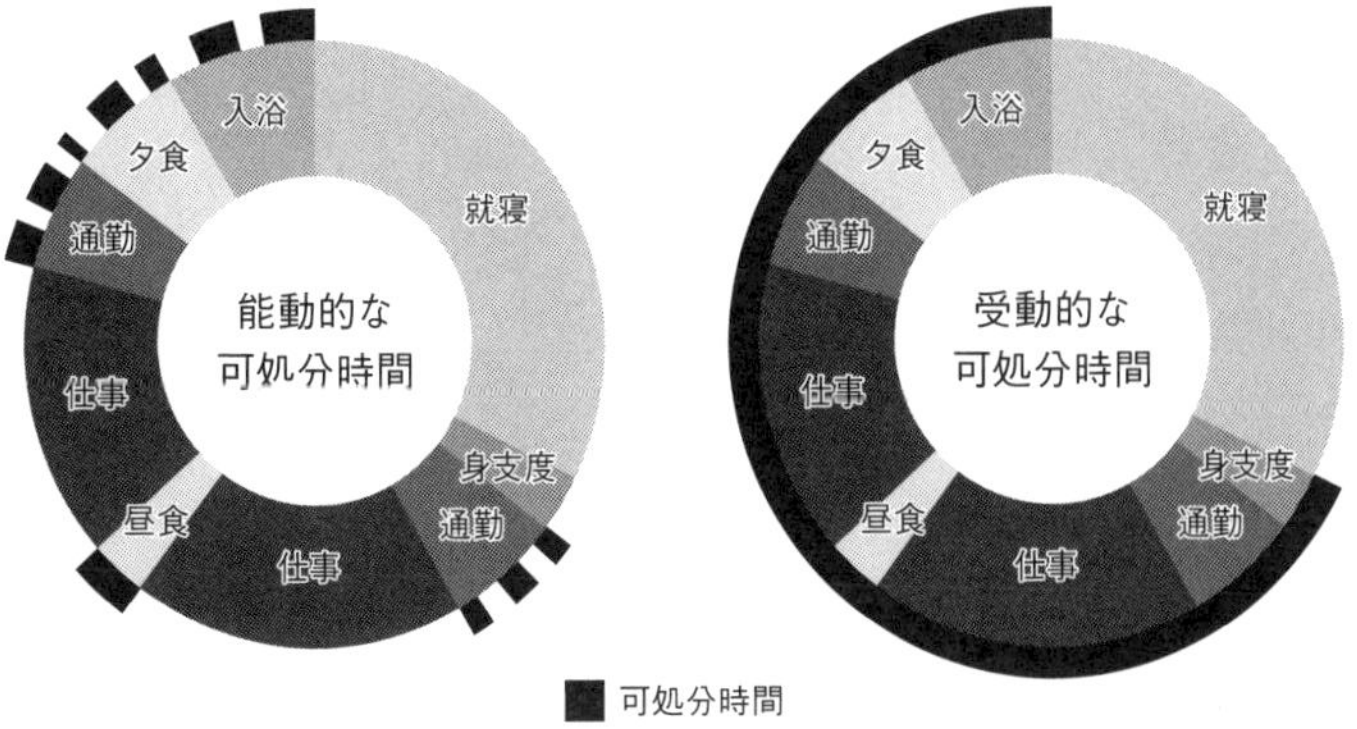

情報の出力も音声に変わる

入力が変わるだけでなく、出力も変わります。出力は、ＡＩがはじき出した分析や示唆の結果のことで、これらを確認するためのＵＩも変わります。

既存のＡＩからの出力は、文章やグラフなどで表現されます。画像認識を例にすると、出力された画像は目で見て確認する必要があり、動画も同じです。

この長所は、視覚的に理解でき、分かり

やすいことです。ただ、その裏側には、視覚を奪われるという大きな短所があります。

テキストデータの出力についても同じです。ＡＩによる分析結果が文章で出力される場合、私たちはそれを読むために視覚を奪われます。

その点、音声は「ながら」聴きが可能です。分析結果を聞いたり、資料の内容を聞いたりしているときは、脳は多少はその内容の処理をしなければなりませんが、視覚は自由で、手も足も自由です。つまりＡＩからの出力を音声にすることで、行動範囲が広がり、自由に使える時間が増えます（図10）。

資料を読む時間を「ながら」聞きに変えると、椅子に座って読んでいた時間が自由になります。2倍速で聞けばさらに時間が増えます。これは音声データを使わない人には得られない時間です。聴覚を最大限活かすことによってタイパが向上し、生産性も高くなります。

合成音声が普及すると、情報を見たり読んだりするのではなく、聞く人が増えます。ＡＩ活用による行動変容が起きます。

画像もテキストも詳細まで見なければならないデータもありますが、一方で、そこまで真剣に分析する必要がないデータもあります。そのようなときに音声データが便利です。音声は視覚的自由を与えるコミュニケーション手段で、「ながら」によって生産性を向上させることができます。

目的を示して心理を変える

音声データ活用による価値創出を推進していくためには、まず音声データを活用する習慣を醸成することが重要です。習慣は、あらゆる会話を録音ファイルとして残すことを意識づけることからスタートします。リモート会議はボタン1つで録画できますが、対面の会議はまだあまり録音の仕組みが整っていません。手段がなく、わざわざ録音機器を持参しようと思うほどの目的意識がない人も多いため、ここは経営方針として、手段となる機器類の導入を急ぐ必要があります。

習慣化を阻む要因として、自分の業務の実態を他人に見られたくないと思う心理的な面もあります。営業を例にすると、音声認識を導入することで、営業担当者と顧客との会話内容が明らかになります。その内容から顧客のニーズを深掘りしたり、営業担当者の営業方法を改善したりすることができます。

ただし、営業担当者の中にはそのような分析を受け入れにくいと感じる人もいます。自分の会話を他人が聞けるようになると、例えば、上長から話し方や提案方法に関する指摘が入るかもしれません。本来は、その指摘が生産性向上のヒントになりますが、監視されているように感じて抵抗感を持つ場合もあります。

この状況を変えるには、経営方針として録音する目的を明確にする必要があります。経営と現場の両方が音声データの価値を理解し、活用することがＡＩ社会を勝ち抜くために不可欠であると認識することで、録音して活用することが当たり前と思う風土を作っていくことができます。または、何を目指し、どう使うかは後回しにして、とりあえずスマートフォンでもよいので、会社方針として録音を義務付けることもできます。

習慣化では、社員に向けたデータリテラシー教育との組み合わせも有効です。音声を共有したくないと思っている人は、音声データがＡＩ社会の資産であることや、音声データの活用が生み出す価値を理解できていない可能性があります。それを社内教育の研修プログラムによって補うことで意識を変えていくことができます。研修では、ＡＩ活用の外部環境として、先行している企業の事例、ツールやシステムの機能も含めて基礎知識を習得できるようにしたり、音声データ活用によって得られる具体的な効果を伝えたりすることができます。

また、音声データを活用するためには、その活用の主体を会社や上長・経営者から現場の担当者に変える必要があります。単に上長が業務をマネジメントするために音声データシステムを導入するのではなく、担当者自身の業務を振り返る、すなわちセルフコーチングの目的で導入するという観点をもたなければなりません。

これまで人から学ばされたことよりも、自ら調べ学んだことのほうが圧倒的に楽しく身についた経験は誰にでもあると思います。これは何歳になっても基本的には変わらず、ビジネスにおいてもいかに自ら学ぶような姿勢＝セルフコーチングをするような環境を作って、能力を高めるかが重要になってきます。

ただ、これまではデータを活用して自らを振り返ることができませんでした。振り返らなかったというよりは、振り返れなかったからともいえます。つまり、ＡＩ／ＩｏＴの進展とともに一人ひとりの行動がデータとして可視化され、簡単に振り返れるようになれば、自らを振り返ってコーチングするセルフコーチングが主流になってくるように思います。

またもう一つの観点として担当者にメリットを感じてもらうということも重要です。日常業務で音声認識を活用することにより、議事録作成や報告業務がなくなり、それによって生産性が上がれば現場の担当者は喜んで使います。そのため音声データを活用するメリットを感じてもらい、自ら進んで使ってもらうようなシステムを導入するということが重要となります。

データの共有がイノベーションを生む

音声ファイルは、話者を特定したうえで周辺システムで取れるデータと組み合わせることで、はじめてデータとして意味を持ち、活用できます。そのため、話者特定をするためのハードウェア／ソフトウェア、ならびに情報をまとめるCRMのようなシステムが、音声データ活用のためには必要不可欠です。また、音声データを使いやすくするために、システムは部門をまたいで共有できるようにすることも求められます。

一つひとつのデータにタグ付けをして分類することにより、音声データにアクセスしやすくすることも重要です。タグは、音声データ内の固有名詞、キーワード、キーフレーズなどを指定し、整理するためのものです。タグ付けをすることで、音声データを分類し、容易に検索できるようになります。例えば、どの顧客との商談か、どんな内容か、誰が参加した会議かという視点で複数の音声データを管理し、利用することが可能になります。

社内の誰もが簡単に音声データにアクセスできるようになると、多様な視点と意見によって活用のアイデアが生まれやすくなります。これはデータの共有によるデータの民主化がもたらす効果です。つまりＡＩ社会でＡＩの民主化から恩恵を受けるためには、まずはその手前の段階として社内でのデータの民主化を推進することがあるということです。

例えば、人事やＭ＆Ａ関連等の一部のコンフィデンシャル情報を除いて、音声から議事録化された経営会議の内容を読むことができれば、企業が目指す成長の方向性が分かります。そのために音声認識の機能や音声データをどのように活用したいのか、その過程でどのような課題があるのかが見えてきます。従業員がそれぞれの見解や立場から解決策を考えることが音声データ活用のブレイクスルーになることもあり、さらには、複数の人のアイデアの組み合わせから新たな活用方法が生まれることもあります。議事録を一から読むのは大変であるため、要約した文章を読んだり、音声で聞いたりすることによって手間と時間を軽減できます。

新しい活用方法が生まれると、それが呼び水となって、活性化に向けたアイデアや意見を出す人が増えます。社内で溜めている音声データにアクセスすることが当たり前になり、それが音声データの活用を推進する社風と組織の変革にもつながっていきます。

言い換えると、音声データの活用を進めていくためには、小さくてもよく、効果が限定的でも構わないので、まずは活用事例を作ることが重要ということです。活用推進のために活用事例を作るというのは禅問答のようですが、音声データの活用は、画像やテキストと比べて事例が少なく、活用のイメージを描きづらいため、小さな成功例がイメージを膨らませるきっかけになるということです。

また、画像認識やテキストマイニングと比べると、音声認識は、そのためのシステムやツールの種類と数が少なく、それらを提供しているベンダーの数も少ないのが現状です。しかし、今後は音声認識と音声データ活用の価値が広く認知され、活用に取り組む企業も、活用の成功事例も多く出てくると予想されます。そのような事例を国内外から集め、それを社内で共有しながらアイデアを探索していくことも重要です。

第　3　章

営業、商品開発、人材育成……

「音声×AI」によって従来のビジネスシーンはこう変わる

VOICE ANALYSIS

Business Revolution
brought about by
Voice x AI

データドリブン経営の入り口

私は商社勤務時代に、海外で自動車の卸売り・小売り網を構築する事業に携わっていました。営業・マーケティング戦略を立案し実行していく中でさまざまな課題があったのですが、中でも電話を活用してインサイドセールス（電話・メール・チャットなどを活用した内勤営業）の効果をさらに引き上げることに苦心しました。営業担当者のパフォーマンスに差異が生じる原因が分からず、行動ＫＰＩ（重要業績評価指標）を引き上げて、とにかく架電回数を増やすという生産性の低い活動で結果を出そうとしていました。

私は架電数のノルマに振り回される営業の状況に疑問を覚えると同時に、いかにして商談スキルを平準化するか問題意識を持っていましたが、当時は有効な解決策を見いだすことができませんでした。ただ、これからの時代はＡＩの活用がビジネスの命運を左右するだろうとも思っていました。そこで「AI×Voice Communication」にビジネスの方向性を定めて起業し、音声認識技術とＡＩを掛け合わせた音声解析システムを開発したのです。営業や顧客対応のやりとりをＡＩで解析し、問題点を可視化して、それに対する具体的な改善策を示すことでセルフコーチングを促す役割を担っています。またこのシステムは、すべての音声がデータとして蓄積されるため、営業や顧客対応の効率化による短期的なＰ／Ｌインパクトだけでなく、音声データをビッグデータとしてアセット化することにより、中長期的なＢ／Ｓインパクトも実現することに成功しています。

そもそも音声ＡＩは、営業、事務、育成、経営などさまざまなレイヤーで変革をもたらす力を持っています。音声データは活用の可能性が幅広いため、顧客の声から新たな課題を拾いたい、営業研修の内容を充実させたいといった具体的な活用方法が決まっているケースもあれば、ＡＩ活用を始めるきっかけにしたい、どんなデータが取れるか試してみたいなど、実験的な導入から次の成長の糸口を探るケースもあります。さまざまな企業がさまざまな動機から音声データの利用方法を探しているという状態です。

ニーズの多様さは、企業の課題が多様であることを表しています。同時に、課題を解決するために、音声ＡＩや音声データの活用に期待している企業が多いことも表しています。

音声データの活用がもたらす多様な変革の中で、最も大きいのは企業のデータドリブン経営を推進することです。データドリブン経営とは、マーケティング、営業、カスタマーサポート、採用、育成というあらゆる企業の活動を、データに基づいて意思決定することによって効果を最大化することを目指す経営スタイルのことです。このような体制に変わると、企業の意思決定が速くなります。データは市場や顧客や競合の動向を可視化するため、外部環境の変化にも強くなり、適応力が高まることでサステナブルな経営を実現できます。また、顧客の課題が見えることで、新たな商品やサービスの開発にもつながります。

音声データの活用は、その過程で大量の音声データを蓄積し、それらを分析した結果をナレッジやノウハウとすることによってデータドリブンの実現を下支えします。

一方、口頭でのやりとりは大半が記録として残されていないため、正確な分析ができませんでした。その環境では、人の想像や感覚で判断しなければならないケースが多く、それが確率の高い意思決定の邪魔をしていました。

音声データはファクトであり、客観的な事実を出発点として改善策や新たなビジネスを考えることができます。顧客との商談を例にとると、会話の中から「困っている」「手間がかかる」「高い」という言葉をキーワードとして抜き出すことで、感覚的にではなく、事実を根拠として顧客の課題を見つけ出すことができます。音声AIは、顧客の話し方のトーンも分析対象とすることができ、より的確かつ具体的に課題を把握できます。また、顧客に喜ばれたり感謝されたりした場合も、何が、どんなふうに、なぜ喜ばれたのかを言葉から分析することで、自分たちの強みを主観的にではなく客観的に理解でき、伸ばすことによって競争力を高めていくことができます。

データドリブンな人材育成

データドリブン経営の実現に向けて、音声データの活用が役に立つ分野の一つが人材育成です。

従来の育成には２つの課題があります。１つ目の課題は指導スキルのムラです。人材育成はＯＪＴを主体として、先輩や上司がトレーナーとして指導するケースが多いといえます。これは実践的で良い方法です。しかし、教える人のスキルによって成長のスピードが変わることがあります。

その点、データドリブンは客観的なデータに基づく育成なので、誰でもまねをすることができます。例えば、部下に慕われるマネージャーの面談を分析すると、ほかのマネージャーとは違うコミュニケーションの取り方が見えてきます。教えるのがうまい人も、教える際の言葉の選び方や伝え方に違いがあり、その特徴が音声データの分析によって明らかになります。

例えば、教えるのがうまいマネージャーは、部下が話している時に遮らずに最後まで聞く、相手のペースに合わせて同じペースで話している、などの特徴があることが分かります。

これらの客観的な差を踏まえることで教える人のスキル差を抑えることができます。会話の分析によってパフォーマンスの差を生む要因が明らかになります。それをナレッジやノウハウとして企業の成長に結びつけていくことができるのです。

また、データ化すると簡単に共有できるようになるため、これまでブラックボックス化されていたハイパフォーマーの特性を可視化し、ナレッジシェアして、スキルの平準化につなげられるようになります。つまり暗黙知が形式知に変わります。

共有できる状態になれば、個人が自分のスキルの改善に役立てたり、改善点をまとめて社内研修に使ったりすることができます。そのような育成を取り入れることで、見て学ぶのが主体だった人材育成の仕組みそのものを変革していくことにつながります。

精神論の育成から脱却する

2つ目の課題は、育成につながる具体的な改善点が見えづらいことです。成果を比べれば、売れる人と売れていない人の差は分かります。しかし、何がその差を生んでいるのか、どうすれば差を埋められるのかという方法は把握できません。例えば、営業担当者の育成では、「モノではなく自分を売る」という抽象的な精神論のアドバイスが多く、生産性を高めるための効果的な方法が特定できません。指導内容も「もうちょっとゆっくり伝える」「もっと相手の話をよく聞く」というような抽象的な内容になりがちです。ハイパフォーマー当人が、自分のパフォーマンスが良い理由を言語化できていなかったり、自覚していなかったりすることもあります。

このような育成環境も音声データの分析によって改善されます。データを見ることにより、「ゆっくり」が一秒あたり何文字くらいを指しているのか、「よく聞く」が何％の時間を使って話を聞くことなのかが明確になります。

また、具体的な改善策が見えない状況では、成果を出すための取り組みが「一日100件電話する」「月に100人から名刺をもらう」というガッツと根性による数の論理になりがちです。音声データの活用は、売れる人と売れない人の差や、行動と成果の相関性を明らかにし、それを根拠として、「一日100件」「100枚の名刺」という根拠が不透明な目標を見直し、より効果的なKPI設定につなげます。

営業活動の内容は質と量の面で分析できます。質の面では、話し方や商談の組み立て方の良し悪しが分かり、量の面では、見込み客に電話をかける回数や、会話する時間などから、受注に至りやすい効果的なアプローチ方法を分析できます。また、そのような分析からハイパフォーマーに共通するコンピテンシー（行動特性）を特定し、企業のナレッジにすることができます。

ＡＩ社会では、データの活用が明暗を分けるため、企業の成長につながるナレッジをできるだけ多く持つことがＡＩ社会を生き抜く原動力になります。音声データが企業の資産となり、良質なデータを増やしていくほどＡＩ社会をリードするデータドリブン経営の実現につながります。

最も伝わる会話のスピードを明確化

音声解析ＡＩによる商談の分析は、声の高さ、言葉の選び方、話すスピード、間の取り方などから、ハイパフォーマーに共通する話し方や、ミドルパフォーマーとの違いを見つけ出していくことができます。また、自分と顧客が話す時間の比率（Talk/Listen 比率）、顧客の発言と自分の発言が重なるかぶりの回数、沈黙の時間と回数なども細かく分析し、数値化することができます。

話し方には人それぞれのクセがあり、クセは自分では気づきづらいものです。音声データの分析は、そのクセをデータによって客観的に示し、「自分は早口だったのか」「話しすぎの傾向があるのか」という気づきをもたらします。

話すスピードを例にすると、早口やゆっくりという評価は感覚的です。音声データはその感覚的な評価を数値化し、早口がどれくらい早いのか、相手とどれくらいの差があるのかを可視化します。

一般的には、営業の提案やプレゼンテーションは、1分間に300文字くらい、1秒当たり5～6文字くらいのスピードが聞き手にとって理解しやすいといわれています。情報伝達のプロであるアナウンサーも、1分間に300文字を目安として原稿を読むトレーニングをしています。

スピードの分析では、営業担当者の商談や打ち合わせの音声をもとに、どれくらいのスピードで話しているのかを把握します。また、業種や業界によって適切なスピードは異なるため、ハイパフォーマーのスピードを明らかにすることも重要です。

適切なスピードは相手によって異なります。顧客が話すスピードよりも速ければ伝えた内容が理解されない可能性があり、遅すぎるとストレスを与える可能性があります。顧客が快適と感じるかどうかが受注率に影響する要因の一つであると仮定すると、顧客が話すスピードも分析することが重要です。

ハイパフォーマーの分析では、話の内容によってスピードがどう変わるかも分析できます。例えば、自己紹介や自社紹介はどれくらいのスピードで話しているか、商品の説明はどれくらいか、特徴を伝えるときはどうかという分析からハイパフォーマーの特徴が見えてくるかもしれません。商談では、顧客に強く訴求して関心を引いたり、契約の決断をしてもらったりするためのキラーフレーズがあります。このようなキラーフレーズなども含めて細かく分析していくことでハイパフォーマーがどのように話しているかが可視化できます。

想いと熱意が伝わる抑揚をつける

話し方の良し悪しでは抑揚も大事です。抑揚も話すスピードと同様に、「淡々としている」「ハキハキしている」というように感覚的に評価されていますが、音声データを分析することで、声の音程、強弱などを可視化し、抑揚の特徴を客観的に把握できます。

抑揚が重要な理由は、話し方に強弱がつくことで相手の印象に残りやすくなるからです。強く伝えたいことや、大事なことは抑揚をつけて話すことで伝わりやすくなります。感謝の気持ちや喜びなどの感情も伝わるようになります。商品やサービスへの強い想いや、課題解決に取り組む熱意も抑揚に表れます。

これらが顧客に伝わるほど共感が生まれます。共感は話を聞いてもらうための重要なポイントで、受注率にも影響します。

このような観点で分析していくと、受注につながらない人は、大事なことを抑揚なく伝えていることが原因なのかもしれません。強さが十分である一方で、熱意のあまり早口になっているため、顧客が内容を理解できていないのかもしれません。そのような評価と客観的な改善策を考えるために、音声データは貴重な振り返りの材料になります。

間の取り方で心地よさが変わる

会話を円滑に進めるためには間も大事です。会話というとお互いが「話す」ことに焦点が当たりがちですが、常にどちらかが話し、片方が聞いているわけではありません。そこには必ず間があります。

商談では、顧客が説明を理解するための間があり、考えるための間があります。課題解決の道筋を想像したり、質問したいことを整理したりするための間もあります。話す、聞く、間が適切なバランスで存在することで、会話は成り立ち、弾みます。

営業担当者は、間を感覚的にとらえて会話をしています。感覚であるため個人差が出ます。対面での商談は相手の表情や仕草が見えるため相手にとって適切な間を取りやすいのですが、相手が見えないテレアポは間の取り方が難しくなります。

音声データは間の取り方が適切かどうかを可視化します。例えば、ハイパフォーマーが顧客の関心を引くために何秒の間を取っているか、間を取って次にどのような話をしているかが分かります。

ハイパフォーマーは間の取り方や作り方がうまいため、顧客が心地よく商談に応じることができます。商品やサービスの内容を理解しながら無理なく話が進んでいきます。

一方、商談で会話が弾まない人は、相手が考えている最中に次の話を始めます。

相手主体ではなく自分が伝えたいことを矢継ぎ早に伝えます。

その結果、会話が一方的になります。あるいは、間が長すぎて居心地の悪い沈黙ができます。間が取れない人は、沈黙が苦手な人です。会話が、話す、聞く、間の3つでできていることが理解できていないため、間が生まれそうになると「話さないといけない」「何か言わないといけない」と思ってしまいます。

あるいは、間が生まれることで提案を断られるのではないかと考える場合もあります。間のあとに「いらないです」「やめておきます」という言葉が出るのではないかと考え、それを避けるために説明や提案を付け加えます。

頭の回転が速い人も間を空けずに話す傾向があります。商品やサービスのことだけでなく、市場、競合会社など、世の中の動きに関するあらゆる知識が頭の中に入っているため、ついそれらを話してしまい、間が埋まってしまいます。これは逆効果で、相手に過剰な情報を与えます。情報が多すぎると処理できなくなり、だんだんと面倒な気持ちになり「少し考えます」「今回はやめておきます」となってしまうのです。

会話が途切れる原因を見つける

会話時間も分析の対象です。商談は時間が長い分だけ多くの情報を伝えることができ、顧客との関係性も深めやすくなります。人は居心地が悪い場にはとどまりたくないと思うため、長く話せるということは相手にとって心地よく（少なくとも悪いとは感じず）、信頼されたり共感してくれたりしている蓋然性も高いといえます。ただし、長い、短いは感覚的な評価なので、これもＡＩによって定量化することが大事です。

ある企業の電話営業を分析した結果では、アポイントの獲得率が高い人は1件当たり5分以上話していることが多く、低い人は5分未満で切っていることが多いという差が出ました。このような相関が明らかになれば、長く話ができる理由はなんなのか、どのような話をしているのかという因果の分析ができます。

例えば、長く話せる人は、メリットを先に伝えている、逆に後回しにして興味をかき立てているというように、話の構成に理由があるかもしれません。会話の前半でキラーフレーズを伝え、それが相手を引きつけているのかもしれません。会話で使う言葉が適切で、顧客の共感を得ている可能性もあります。

会話時間は、無駄に長くなると相手を退屈させ、かえって悪い印象を与えます。「長く話そう」「できる限り延ばそう」というアプローチではなく、時間の分析をきっかけとして話の内容や話し方の分析につなげていくことが重要です。これも音声データを使ってできることの一つです。

時間に注目することで、話が続かない原因も見えるようになります。通話時間が1分に満たないような場合は、おそらく商品やサービスの話にたどり着く前に切れています。これも音声データを振り返り、どこで切られたのか、話の切り出し方はどうだったかという分析をすると、例えば、話の切り出し方が押し売りっぽく聞こえた、電話した時間帯がよくなかったなどの原因が見えてきます。沈黙が多く、会話が続かなかったのだとすれば、トークスクリプトを理解する、話す内容をあらかじめ整理するという改善策が見えてきます。

「話す」と「聞く」のバランスを見直す

時間に関しては、顧客と自分が話す時間の比率も重要です。これもＡＩで計測でき、具体的な数値目標を立てて、そのとおりに実践できたかどうかを検証することもできます。

一般的に営業担当者が話を聞く割合と話す割合は、８：２や７：３が理想とされ、聞き上手になることが商品が売れるポイントといわれます。営業担当者が話す割合が大きくなるほど顧客は押し売りに感じがちです。

そもそも営業担当者は顧客の課題解決をする人であり、そのためには課題を正しく理解する必要があります。それを踏まえると、会話のやりとりを成立させるためには、業界や商材にもよりますが一般的には営業担当者が話す割合は多くても50％までにするのがよいと言われています。

成績が伸び悩む人は、自分が話す比率が高くなりやすい傾向があります。これは間を恐れるのと同じ理由で、沈黙を苦手に感じてつい話してしまったり、顧客に断られる恐怖感から、断りの言葉が出ないようにたくさん話してしまったりするということが原因として考えられます。

ただし、この割合は売っている商品や顧客との関係性によります。必ずしも聞く時間を増やすことがよいわけではなく、７：３にしなければならないわけでもありません。

例えば、仕組みが複雑な商品は、顧客にスペックや機能を伝えなければなりません。詳細を聞きたい人には時間をかけて丁寧に説明することが求められ、それが信頼感を与えることにもつながります。

また、顧客の話を聞くばかりだと、ただ愚痴を聞くだけの無駄な時間になる可能

表２　解析項目の目標値（例）

Talk 比率	**50%前後**	・顧客ニーズが確認できているかを確認する指標 **・70%以上**の場合はサービス説明に終始しニーズ把握ができていない可能性があるので要注意
ラリー回数	**7回以内／分**	・オープンクエスチョンができているか確認する指標 **・クローズドクエスチョンが多いと一問一答になりラリー回数が増える**傾向あり ・クローズドクエスチョンだと顧客の本心が聞けず、話が終わってしまうケースがある
フィラー回数	**6回以内／分**	・スムーズな会話ができているか確認する指標 **・知識がない場合、回答に自信がない場合**に増える傾向あり ・フィラーが多いと信頼感が欠如してしまう
話速	**8文字～ 9.5文字／秒**	・適切なスピードで話せているか確認する指標 **・心理学的に話速の速い方に専門性、信頼感を抱く**傾向あり（顧客より遅い話速は嫌悪感を醸成） ・法人営業の場合は概ね左記レンジで顧客より少し速いペーシングが可能（速すぎても理解されない）
抑揚	**27以上35未満**	・顧客に共感できているか、提案に感情を込められているか確認する指標 **・20前後**の場合、棒読み感が強く、会話というよりは尋問感が強く出てしまう **・35以上**の場合オーバーすぎたり、押し売り感を感じたりするケースがあるため要注意
被り回数	**0.1回／分**	・会話の中でかぶせて発言してしまった所を確認する指標 ・新人の場合沈黙を恐れて、**無駄に話してしまう**ケースがある ・少なければ少ないほうがいい数字
沈黙回数	**0.3回前後／分**	・示唆質問ができているか、会話をグリップできているかを確認する指標 ・示唆質問ができている場合一定数沈黙回数が発生（顧客に考える時間を提供する） ・会話をグリップできていない、会話がかみ合っていない場合**1回／分程度**になるため要注意

※目標値は一例であり、会話の目的、サービスによって変わります。

性もあります。適切なバランスは7：3でなく6：4かもしれません。

話し方は相対的に良し悪しが決まるものなので、絶対的な正解はなく、最適な配分を知るためには自社のハイパフォーマーを分析するのがよいでしょう。最も売れている人の比率を見ることで、自社の場合はそれが現時点での最適解であると判断できます。

キーワードで仮説を立てる

音声データによる会話内容の分析では、商談でよく使う単語を調べることもできます。アポイント率や受注率につながった会話を分析対象として、出現回数を調べる方法です。

これは会話の中に出てくるキーワードにタグを付けることによって把握できま

す。また、単に単語を抜き出すだけではなく、音声を聞き直すことで、どのような文脈で使っているのか、どのような話題のときに使っているのかという内容を見ることもできます。

単語を軸に商談を分析してみると、例えば、受注につながった会話には、カスタマーサポートの手厚さなどサービス導入後のサポートに関する言葉が多く含まれているかもしれません。逆に、受注につながらなかった会話にはそのような単語が少なく、「今なら安く加入できる」「他社より安い」という導入前の言葉が多く含まれているかもしれません。このような差が受注率に影響しているのではないかと仮説を立てることで、スクリプトを変更したり、キーワードを多く入れたりという改善ができます。

声から感情を読み取る

営業や顧客対応では、顧客の反応を読み取ることが大事です。従来は営業担当者それぞれの感覚で、「手応えがあった」「なかった」「8割くらいの可能性で受注できる」といった判断をするケースがほとんどです。

この「8割くらい」には、子細なファネル管理をしている場合を除き、基本的には経験則以外の根拠はありません。しかし音声データでは、その確度を正確に測ることができ、分析によって確率を高めることができます。

そのための方法の一つが、音声による感情認識です。これは相手の話し方、抑揚、言葉などから、会話をポジティブに感じているか、ネガティブに感じているかを判断し、可視化するものです。

話し方では、例えば、声の高さや語気の強さなどから、納得していない、不満を感じている、迷っているという感情を判定します。これらはネガティブな判定です。

逆に、笑い声や感謝の言葉はポジティブと判定します。ネガティブな感情が表れた箇所は、その情報を踏まえて原因を究明できます。原因が分かれば、話し方、話す内容、その内容をまとめたスクリプトの改善ができます。会話全体を通じてネガティブな判定を減らすことはクレームの予防にもなります。

こうした感情の判定を含んだ応対履歴をSlackなどのコミュニケーションツールと連動してマネージャーに共有することで、迅速に次の対応を取ることができます（図11）。

図 11　感情認識の自動応対メモ

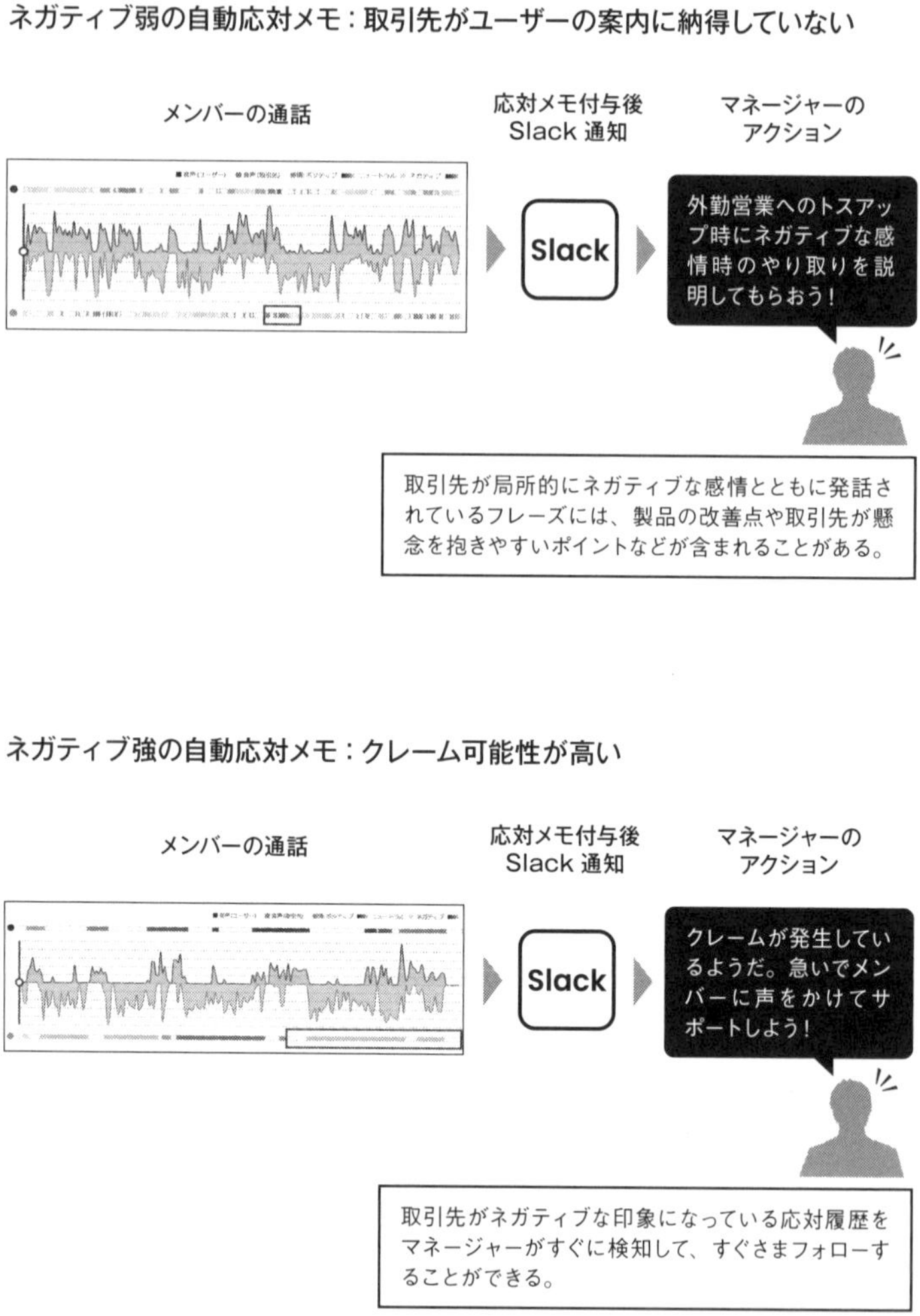

一般論よりデータを重視

商談やアポイントメントの獲得は、強引な話し方が顧客にネガティブな印象を与えるとされています。ただ、そのような一般論がすべての企業に当てはまるとは限りません。音声データを分析すると、常識や通説を否定する結果が出ることがあります。

一例を挙げると、ある企業のハイパフォーマーがどのような会話をしているか分析したところ、スクリプトの前半に書かれている商品説明の部分はところどころ飛ばして短く切り上げ、アポイント取りの話にかけている時間がほかの人よりも長いことが分かりました。一方で、アポイントの獲得率が低い人の会話も分析したところ、スクリプトには忠実なのですが、相手の反応を気にして本題であるアポイントの話ができていなかったり、次の機会に回したりしていることが多いと分かりました。

スクリプトに忠実に話す人の頭の中には、強引に進めてはいけないという考えがあり、顧客の心象を損ねないように丁寧に話を進めています。しかし、それが顧客にはまどろっこしく感じ、「忙しいから」「また今度」と断られることが多かったのです。

この分析で重要なのは、積極的にアポイントを取りにいく人のほうが獲得率が高いという事実です。「強引さは嫌がられる」という理屈は理解しやすく、心理的にも嫌われたくないため丁寧に対応しようと考える人が多いと思います。

しかし、重要なのは事実です。データドリブン、つまりデータが示す情報から施策を考えるうえでは、一般論を捨てて考えることが重要であり、データを起点にすることで一般論とは異なる成功例が生まれることもあるのです。

このような分析では、データを見る視点や思考を訓練することが大事です。一般論が常に正しいとは限りません。逆に、ＡＩによる分析結果が間違っていることもあります。その視点を持たないとせっかく分析をしても生産性向上に役立てることができなくなるため、先入観や思い込みにとらわれず、物事を批判的にとらえ判断することが大事なのです。

行動量と成果の相関を確認

営業活動のパフォーマンス分析は、話し方や話す内容のほかに、行動面も分析できます。行動とは、顧客を訪ねる、電話をかける、どのようなタイミングで何回アプローチするか、ということです。

行動に関するデータは、音声データを再確認することによって、いつ、誰に、何回電話をしたか、訪問したかという履歴を確認できます。これらを使い、パフォーマンスが良い人と悪い人の行動を比べることで、成果を出すための最適な行動を導き出すことができます。

多くの企業では、行動量のＫＰＩを定めています。例えば、営業電話の回数や顧客への訪問回数を目標として設定し、営業担当者はＫＰＩの達成を目指します。

行動の分析では、まず各営業担当者がこれらのＫＰＩを達成しているかどうかを確認する必要があります。成果が出ない原因は、話し方やスクリプトの問題ではなく、そもそも成果を出すための行動量が足りていない可能性があります。

また、行動量をハイパフォーマーとミドルパフォーマー以下で比べてみることができます。例えば、ハイパフォーマーほど行動量が多く、顧客への電話や訪問の回数と成果が比例していれば、量をＫＰＩとする方針は正しいといえます。

逆に、明確な相関関係がない場合は、アポイントメントの獲得が増えない原因は別にあると考えるのが妥当です。量とは別の原因として、電話をかけるタイミングが悪いのかもしれないという仮説を立てて、検証していくことができます。

アポイントメントの獲得は「一日１００件かける」という数を目指す活動になりがちです。本来の目的は良質なアポイントメントの獲得件数を増やすことですが、手段と目的が逆になり、一日１００件電話することが目的化してしまうこともあります。数を増やしても成果が伸びなければＫＰＩを見直す必要があります。回数ではなく通話成功率を目標にすれば、一日１００件の電話が目的ではないことを再認識し、１００件を１１０件にするという効果の薄い施策も避けることができます。

タイミングを調整して通電率を高める

電話は、かけるタイミングが悪ければ相手につながりません。忙しい時間帯につながると断られ、顧客の印象を悪くすることもあります。そのような可能性を踏まえて時間帯の関係を分析することが肝要です（図12）。

過去に電話をかけた時間帯の通電率を分析することで、電話をかける回数を増やさなくても効率よくアポイントが取れるようになるかもしれません。この時間帯は

図12　ローパフォーマー、ハイパフォーマーの架電分布

ローパフォーマーの架電分布

時間帯	月	火	水	木	金	合計
9時	0.1%	0.4%	0.6%	0.7%	0.4%	2.2%
10時	1.6%	2.4%	2.5%	1.9%	2.3%	10.7%
11時	3.0%	2.5%	2.9%	2.8%	2.9%	14.1%
12時	0.5%	0.6%	0.5%	0.2%	0.2%	2.1%
13時	1.2%	1.6%	1.7%	1.3%	0.8%	6.7%
14時	2.1%	2.8%	2.2%	2.9%	2.5%	12.7%
15時	2.7%	3.4%	3.0%	3.0%	2.9%	15.0%
16時	3.5%	2.8%	3.0%	3.2%	3.0%	15.6%
17時	3.7%	3.9%	4.3%	3.7%	3.7%	**19.4%**
18時	0.4%	0.4%	0.3%	0.2%	0.3%	1.7%
合計	19.0%	21.0%	**21.1%**	19.8%	19.0%	–

・午後イチは**忙しい**人が多い印象
・夕方は電話が**つながりやすい**感覚

月間アポ
獲得数
150%
→

ハイパフォーマーの架電分布

時間帯	月	火	水	木	金	合計
9時	0.0%	0.1%	0.2%	0.3%	0.2%	0.8%
10時	1.3%	2.1%	1.7%	2.3%	1.8%	9.2%
11時	2.6%	2.5%	2.5%	2.8%	2.2%	12.6%
12時	0.9%	0.5%	0.9%	0.8%	0.0%	3.1%
13時	3.1%	2.9%	5.1%	2.2%	2.1%	15.4%
14時	2.5%	2.9%	4.3%	2.9%	3.5%	**16.2%**
15時	4.3%	2.9%	2.8%	2.6%	3.1%	15.7%
16時	4.1%	2.3%	2.7%	2.6%	2.9%	14.5%
17時	2.2%	2.5%	2.0%	3.1%	1.8%	11.4%
18時	0.5%	0.4%	0.1%	0.1%	0.0%	1.0%
合計	21.4%	19.0%	**22.3%**	19.6%	17.7%	–

・資料請求から**早く架電したい**ので
必然的に午後イチにかける
・**日次架電数ノルマ**は気にしていない

※架電率は小数点第２位以下を省略しているため、各数値の和が合計数と異なる場合がある

つながらなかった、この時間帯は忙しいからと断られた、この時間帯はアポイントメントを獲得できた、というデータを残し、統合して営業部門内で共有することで、アポイントメント獲得部隊全体の生産性も高めることができます。

アポイントメントの獲得では、電話のコール回数の分析も効果があります。ある企業の例で、電話をかけてから何回コール音が鳴るまで待つかを分析しました。テレアポは一日にかける件数を重視するため、出なそうだと思ったらす

ぐに切って次の電話をかけます。例えば、コール音が3回鳴って出なければ次の人にかけるという判断をします。しかし「3回で出なかったら」の部分には明確な根拠はなく「出なそうだな」と感じ、切っています。

場合によっては4回目のコール音で出る可能性もあり、それがアポイント件数の向上につながるかもしれません。電話をかける件数を増やさなくても、あと少し待てば成果が増えることもあります。

実際、この企業では3回で切る人よりも5回まで待つ人のほうが多くアポを取れていました。この分析を踏まえて、あと2コール待つこととし、成果が伸びました。このことからも、やみくもに電話をかける回数を増やすのではなく、コール音のような細かな部分を分析していくことが大事です。

セールス・イネーブルメントを推進

営業担当者の育成では、パフォーマンス分析の情報を活用し、営業組織のイネーブルメントにつなげたいというニーズがあります。イネーブルメントとは、人材育成を軸として成果を出す人を増やし続ける取り組みのことを指します。

イネーブルメントが注目される背景には組織戦略の変化があります。従来の営業活動は個人の能力によるところが大きく、営業担当者それぞれがスターになることを目指し、各自のスタイルでアポイントメントの獲得や商談を進めていました。

しかし、人材の流動性が高まり、転職が珍しくなくなった昨今の状況に鑑みると、企業として一部のハイパフォーマーだけに頼るのはリスクです。属人性が高くなるほど、その人がいなくなったときに収益が大きく減るリスクが増加します。

また、社会全体がデータを活用するようになり、システムやデータ基盤に投資している企業が効率よく成果を出す営業活動にシフトしている中で、従来型の育成方法では成果を上げづらくなったことも要因です。「頑張って成果を上げていこう」「気合で成長を目指そう」という育成には限界があります。非効率的な職場は若い人に敬遠されやすく人手不足の問題が大きくなります。

そこで、個人単位ではなく営業部門全体としての成長を目指す営業活動のイネーブルメントが注目されるようになりました。デジタル技術を活用して営業担当者のスキルを伸ばし、部門全体を強い組織にしていく取り組みが重視されています。

営業活動のイネーブルメントを成功させるためには、成約／失注の要因やパフォーマンスのバラつきなど「営業のなぜ？」を、数値化された事実をもとに把握することが不可欠です。また営業活動には、さまざまな要素が複雑に絡み合っているので、大量のデータを元にＡＩを活用したイネーブルメントを実現できると理想的です。そのためには実際の営業現場での会話データが必要となります。

セルフコーチングに使う

ハイパフォーマーは、顧客が快適に感じる話し方を自然とできていることがあります。その話し方を分析して可視化することで、ハイパフォーマーは自分の長所を把握でき、ほかの人はその内容を参考にしてトレーニングができます。

ハイパフォーマーの特性と自分の課題が分かれば、自力でスキルを磨くセルフコーチングも可能です。音声データを使うことで、自分の話し方を振り返り、話すスピード、沈黙回数、かぶりの回数を可視化して、ハイパフォーマーの話し方と比較しながらスキルを高めていくことができます。

分析によって見えてきたハイパフォーマーの特性は、それを加工し応用することで研修プログラムにすることもできます。ハイパフォーマーが話す内容を参考にしてスクリプトを作成・改善することもできます。このようなツールがそろうほど人材育成は効率的かつ効果的になり、イネーブルメントに結びつきます。

時間を生み出してマネジメント層を強化

セルフコーチングが進むと、トレーナー役となる上司の育成への関わり方も変わります。従来の育成環境では、トレーナーが1on1でロールプレイに付き合ったり、個別にフィードバックをしたり、細かく関わる必要がありました。複数のメンバーがいる場合、コーチングに関わる時間の総量が増え、一人ひとりに合わせた育成が時間的に難しい場合は、個々のスキル差を無視した通り一遍の育成になることもありました。

しかし、音声データで営業担当者それぞれのスキルが可視化できるようになれば、育成の一部をセルフコーチングに切り替えることができ、上司の時間や手間を軽減できます。個別に指導する場合もそれぞれのスキルをデータで確認しながら指導できるため、「ここをこんな感じで」という感覚的な指導から「この部分を３秒短くしたほうがよい」というような定量的かつ具体的な指導を個人に合わせて行えます。

育成にかかる時間が減り、上司の時間が増えることも重要です。上司の役割は組織とメンバーのマネジメントで、これは人にしかできない仕事です。

少なくとも現状ではＡＩが人を束ねたり、モチベーションを高めたりすることはできず、人がこの分野で能力を発揮することが求められます。上司は新たに生まれた時間で、自らもセルフコーチングすることができるようになり、マネージャーとして成長が加速させられます。

営業活動全体で生産性を高める

音声データを活用しやすくするための営業活動の変革施策の一つに、インサイドセールス部門の設置があります。インサイドセールスは、顧客を直接訪ねる外勤型の営業（フィールドセールス）ではなく、メールや電話という手段で営業活動を展開する内勤型の営業です。

役割としては、インサイドセールスが主体となって顧客との商談を進めることもありますし、ニーズのヒアリングや商品説明を行って訪問のアポイントを取り、フィールドセールスに引き継ぐこともあります。いずれのケースもインサイドセールスと顧客の接点としては電話やWeb会議が主体であり、音声AIを活用しやすいという特徴があります。

インサイドセールスは、日々の営業活動を通じて電話やＷｅｂ会議の音声データを溜めていくことができます。この音声データには、顧客の課題を発見したり契約やアポイントを獲得したりするための話し方や、内容の改善につながる多くのヒントが隠されています。

営業体制の変革によって音声データを効果的に活用していく方法として、インサイドセールスとフィールドセールスが連携するだけでなく、マーケティング部門とカスタマーサクセス部門を含む４部門で連携し、営業活動を強化していくこともできます。

このような体制を The Model 型といいます（図13）。これはもともとアメリカで普及したデータの共有と活用を前提とする営業活動のモデルで、近年、日本でも増えています。

The Model 型の営業活動は、まずマーケティングがイベントやセミナーの開催などを通じて、自社の商品やサービスに興味を持つリード（見込み顧客）を開拓します。

図13 The Modelの仕組み

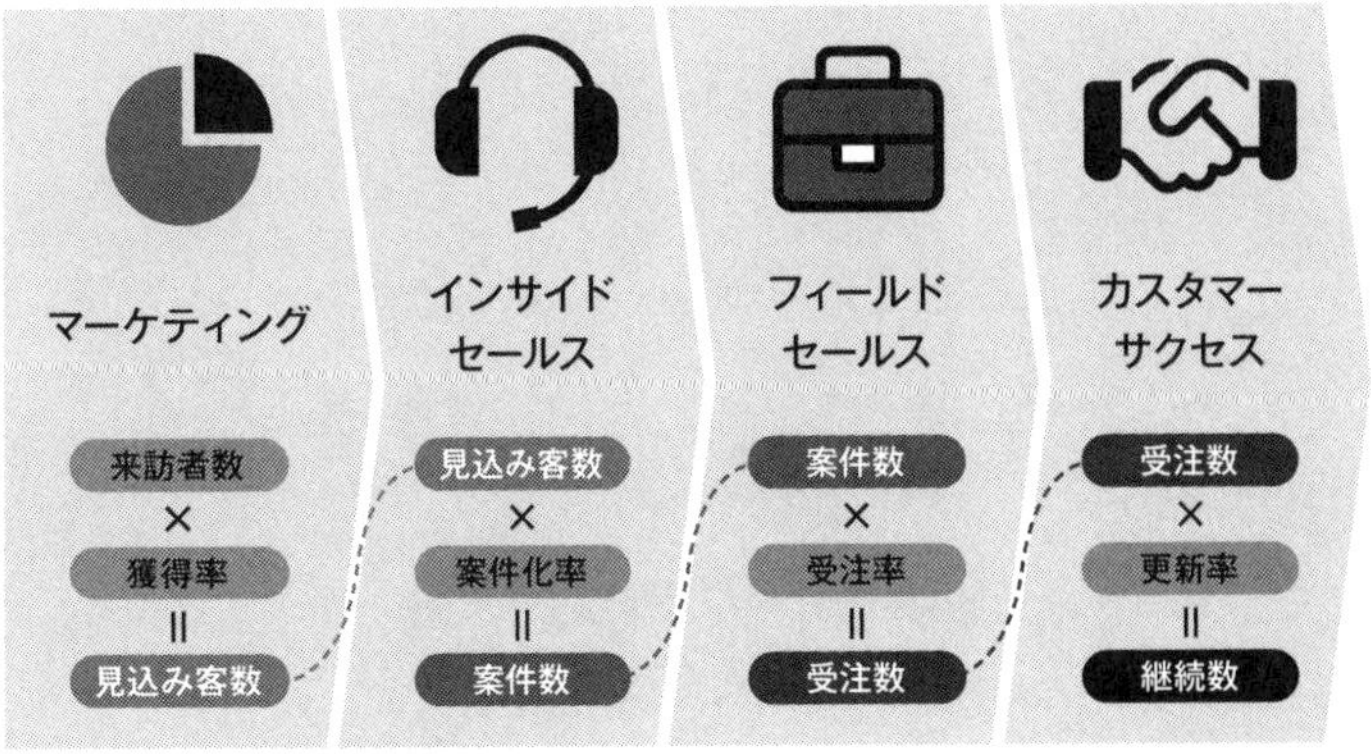

リードの情報をインサイドセールスが引き継ぎます。インサイドセールスは電話やＷｅｂ会議で顧客のニーズを探ります。その反応を見ながら商談に至る確率が高い見込み客を絞り込みます。

フィールドセールスは、顧客訪問やＷｅｂ会議などで商談を進めます。

受注した場合はカスタマーサクセスがその情報を引き継ぎます。カスタマーサクセスは顧客のアフターフォローや販売した商品のメンテナンスを行いながら、顧客との関係性を強化したり、新たな課題を聞いたりしてアップセル、クロスセルによって顧客の成功を実現し、自社の収益を最大化させる役割を担います。このような連携によって部門をまたいだ営業活動を一気通貫で行うことができるのです。

営業活動は、従来はフィールドセールスが主体でした。しかし、マーケティングのデータがあれば新たな顧客を増やせます。また、インサイドセールスが見込み客を絞ることで、受注の確率が低い顧客の訪問に使う時間と労力を抑えることができ、フィールドセールスの活動が効率化します。

複数の部門にまたがって協力しながら実施する営業活動では、顧客データをCRMシステムを使って管理します。顧客データとは、顧客の基本情報、ニーズのヒアリング内容、過去の通話の内容、受注実績などです。また、インサイドセールスとの会話内容をCRMに音声データとして残すことで、他部門の人がその内容を聞き、顧客の課題感やニーズなどを詳細に把握できるようになります。

見込み客を絞り込む精度を高める

新規顧客の開拓手段として、マーケティングと営業（フィールドセールス）の連携は以前から重視されていました。しかし、連携がうまく進まず、効果が出にくい状況が続くケースもあります。

その理由は2つあります。1つ目の理由は、フィールドセールスが自ら見込み顧客の開拓から受注後のフォローまで一気通貫で行う既存の営業方法に慣れ親しんでいることです。

フィールドセールスは、顧客のもとに足を運び、人間関係を築くことが受注につながると考える傾向にあり、マーケティングやインサイドセールスのサポートを受ける必要性を感じにくい場合があります。

2つ目の理由は、マーケティングやインサイドセールスから引き継ぐ見込み客の受注確度にばらつきがあることです。

マーケティングが獲得するリードの中には、商品やサービスの導入を本格的に検討している人もいますが、興味本位でイベントに参加した人や、サービスの購入を決める権限がない人も含まれます。そのため、受注確率という点でリードの情報は玉石混淆《こんこう》です。このような情報を見込み客としてひとまとめにしてフィールドセールスに引き継ぐと、フィールドセールスが追加作業としてその精査をすることとなり、手間と時間がかかります。また、受注確率が低い見込み客を訪問することによって営業活動が非効率になります。つまり本来であれば部門連携によって営業活動全体の効率を高めるはずが、逆に効率を悪化させてしまうのです。

裏を返すと、フィールドセールスには玉石混淆のリードを整理し、受注確率が高い見込み客に絞り込んでほしいというニーズがあります。音声データは、そのニーズを満たすことができます。マーケティングやインサイドセールスとの会話からニーズの大きさを把握し、感情分析によって見込み客の関心度合いを分析することで、受注確度の高い見込み客を絞り込むことができるのです。

データを増やして分析を高度化

The Model 型の営業活動では、ＣＲＭに溜める音声データを増やしていくことが重要です。インサイドセールスと顧客との通話だけでなく、フィールドセールスやカスタマーサクセスが対面で会話した音声データも溜めていくことで、ＣＲＭが良質な音声データの宝庫になります。

インサイドセールスからフィールドセールスへの見込み客の引き継ぎは、テキストや口頭で説明することができますが、そこにＡＩによって解析された音声データが加わることでより詳細に見込み客のニーズなどを確認できるようになります。また、インサイドセールスが把握できなかったニーズにフィールドセールスが気づくこともできます。

具体的な使い方として、会話の内容をキーワードで整理することで、見込み客がどのような機能の話に興味を持ったか、価格についてどのような反応を示したかを見極めていくことができます。

インサイドセールスはテレアポ部隊だと思われがちですが、音声データの活用では、企業の資産である音声データを溜める重要拠点です。リードを獲得するマーケティングと受注を獲得するフィールドセールスのつなぎ役となり、マーケティングが集めるリードをできる限り有効な商談につなげる結節点でもあります。

ＣＲＭがデータリッチになるほど、音声データを聞き直したり、要約を読んだりすることで新たな課題やニーズを見つけ出すことにつながります。

受注に至らなかった場合、フィールドセールスは商談での話し方や話す内容を見直すことができ、インサイドセールスはニーズを聞き出す質問の内容を見直し、ヒアリングのスクリプトを改善することができます。

マーケティングは、フィールドセールスやカスタマーサクセスが取得した顧客からの意見や声を踏まえて、多くのリードを獲得できそうな業界向けにDMやメルマガを出し、顧客の関心が高いテーマで次の施策を企画することができます。

このような活用の広がりを生み出すためにも、特定部門からの一方通行ではなく、社内の各部門が音声データを集め、共有し、誰もが簡単に使えるようにすることが重要です。

営業プロセスを評価基準に反映

音声データの活用が当たり前になることで、将来的には評価基準が変わっていく可能性があります。

営業活動を例にすると、業務の評価は個々の成績の管理が中心となることが多く、現在の評価基準も基本的には収益の金額や案件の獲得数という結果を重視しています。そのため、顧客から重要な課題を聞き出したり、将来的に受注につながる可能性のある関係性を築いたりすることは、目先の受注に至らなければ評価の対象になりません。

しかし、経営においては目先の利益として短期の収益になる受注を獲得することも大事ですが、中長期の視点を持ってサステナブルな経営を実現することも重要です。

また、仕事の本質が顧客の課題解決であり、感謝されることであるとすれば、これらに貢献する活動と成果も評価に値するといえます。音声データの活用は、営業活動の結果だけではなくプロセスも可視化します。分かりやすい例として、提案や商談で顧客から何度「ありがとう」を言われたかを数えることができ、その数を踏まえて顧客への貢献度合いを評価することができます。

また、多くの人は誰かの役に立ち、感謝される仕事にやりがいを感じるため、感謝の回数を評価基準とすることは、従業員の仕事に取り組むモチベーションを高めることにもつながります。

このような新しい観点で評価基準を刷新していくことは、他社との差別化要因にもなります。従業員が満足して働く職場づくりを実現するうえで、評価基準は時代の変化に合わせて見直し、変えていく必要があります。結果だけでなくプロセスを評価基準に含めることや、その裏付けとして音声データを使うことは、ＡＩ社会を見据えた企業の変革の要素です。

従業員の声を集めて活かす

現状、ＡＩを活用した音声データからの課題の発見は顧客との接点を主体としています。営業電話がその例で、インサイドセールスが顧客との会話を深めることを促したり、課題を聞き出したり、顧客自身が気づいていない潜在的な課題を発掘することに活用されています。このような活動は今後も重要であり、音声ＡＩの浸透によって一般化していきます。

一方で、応用的な使い方として、従業員の声から新たな課題を見つけ、それをもとにして事業やサービスを創出する手段として活用されていく可能性もあります。

音声ＡＩの社内での活用は、現在は会議や打ち合わせの議事録が多く、決定事項の確認のために行っています。しかし、議事録を深掘りすると、例えば、施策や戦略がうまくいかなかったときに、意思決定のプロセスを議事録で振り返り、原因を見つけたり、改善点を見つけたりすることができる可能性もあります。

採用と定着にも効果あり

音声ＡＩは、業務の効率化や営業力の強化を目的として導入するケースがほとんどです。その効果は十分に期待できますが、それだけではありません。音声ＡＩの導入には、採用の強化と従業員の定着率の向上といった副次的な効果も期待できます。これらの効果は、人口減少という課題に直面している日本企業にとって特に重要です。

ポイントは働き方改革です。基本的にすべての企業が生産性向上を目指していますが、その阻害要因として優秀な人材の流出や効率の低下といった問題があります。人手不足の状態で収益を増やそうとすると、これまでのやり方を変えない限り必然的に１人当たりの労働量が増え、残業も増える傾向にあります。一方で、近年は働き方改革が推進されているため、ワークライフバランスがゆがむほど離職率は高くなります。

音声ＡＩによって日々の業務が効率化すると、この状態を逆回転させることができます。過度な労働が減り、働きやすくなることで定着率が上がります。効率化が生産性向上につながり、均一な育成体制の確立にもつながり、成果が出ることで従業員のモチベーションが高まります。

また、音声ＡＩを積極的に活用する最先端の職場や残業が少ないことが、働き手にとっての安心感につながり、採用活動では他社との差別化要因となって人材を確保しやすくなります。その結果、採用にかけるコストが減り、収益を確保でき、その分給料や福利厚生として従業員に還元することで、さらに定着率が高まります。

そもそも従来型の働き方が根強く、例えば毎日100本の電話をかけなければならない職場は働き手に敬遠されます。そのような働き方からいち早く脱却する手段の一つが音声AIによる働き方改革です。

これからのAI社会では、従業員が快適に感じ、十分に力を発揮できる職場づくりを実現していくことが重要です。そのために、テクノロジーを駆使して働き方を変えていくことがサステナブルな経営を維持するうえで不可欠な取り組みになっていくのです。

第 4 章

「音声×AI」でビジネスに
変革をもたらすために──。

必要なのは効率的な音声データの収集・活用の仕組みづくり

VOICE ANALYSIS

Business Revolution
brought about by
Voice x AI

録音ファイルと音声データは似て非なるもの

ＡＩがカンブリア大爆発的な進化を遂げている現在、企業にとって重要なのは、ＡＩ活用の社会的な潮流に乗り遅れないことです。そのためには、1章で述べたとおり、ＡＩは良質なデータの量で出力の質が決まることを念頭に置いて、可能な限りＡＩに学習させられるようなきれいに整形されたデータを収集・蓄積するデータ基盤・ソフトウェア・ハードウェアを整備することから始めるのが最適だと思います。

特に音声に関しては、ＡＩ活用の主要な3分野（画像、テキスト、音声）の中でも普及が遅れています。その重要性や価値に気づいている人は増えていますが、生産性向上や新たな価値の創造に結びつけた事例はまだ少ないのが現状です。したがって、音声データの収集、蓄積、分析、共有の仕組みを早急に構築することで、一歩リードを取ることができ、企業にとって非常に大きなチャンスとなります。

　ＣｈａｔＧＰＴの登場からも分かるように、ＬＬＭをはじめとする技術はこの数年間で爆発的な進化を遂げています。音声系のテクノロジーで実現できることも増えており、今後も爆発的に進化して、音声・身ぶり手ぶり・表情などあらゆる手段で自然にＡＩと対話できるようになります。これらの技術を積極的に活用することは、企業に先行者利益をもたらします。

　音声データを活用するシステムに求められる要件は、データの収集、蓄積、分析、共有の基盤です。ＡＩがいかに進化しようとも、データがなければＡＩの性能を最大限に引き出すことはできません。したがって、これまで記録されてこなかった口頭での会話、商談、雑談などの非デジタル情報をデータ化し、必要なときにいつでも分析できるようにすることが重要です。

　そのための第一歩は、データを収集する環境を整備することですが、実はすでにほぼ全ての企業で環境は整っています。なぜなら、パソコンやスマホなど、集音マ

図14　音声データへの変換は魚の加工に似ている

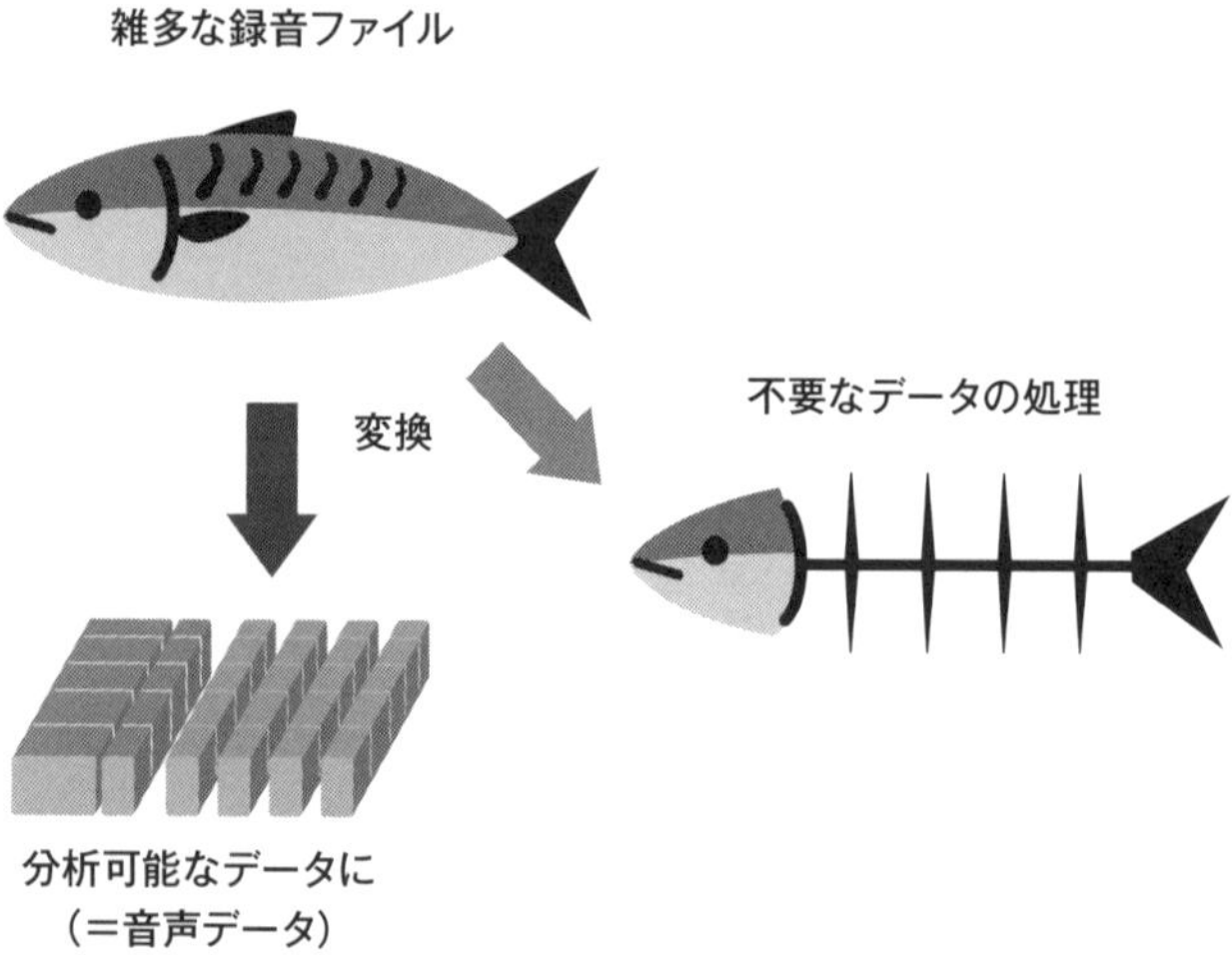

イクが搭載されている何かしらのデバイスがあればよいからです。実際にZoomの打ち合わせやGoogle Meetでの商談の録音データがすでにいくつも溜まっているケースも多いかと思います。

しかし、ただ単に録音ファイルを溜めるだけでは、AI活用にはつながりません。商談や会議の録音ファイルを最初から最後まで視聴するのは手間と時間がかかります。聞き返したい通話があっても、その録音ファイルを探す手間がかかるのであれば探そうと思いません。

これは音声データの活用が進まない理由の一つです。手間や時間がかかることは誰もやろうとしないのです。

また「ＡＩは万能」と思っている人も多いのですが、ただ単に録音された状態ではＡＩによる学習も分析も期待できません。ＡＩが分析できるようにするためには、録音ファイルを音声データに変える必要があります。言い換えれば、録音ファイルと音声データは似て非なるものであり、ＡＩが分析できる状態に加工しないといけないということです。

録音ファイルを魚に置きかえると分かりやすいでしょう。海に網を張ると魚がかかります。その魚を調理したり食べたりするためには、骨や身や内臓を分けて使いやすい状態にします。この加工処理によって、ようやく魚は食材として使えるようになります。この食材が音声データです（図14）。

このように、雑多な情報が混在している録音ファイルはきれいに整理された良質なデータにする必要があります。この状態になると分析対象にできるからです。また、ＡＩの教師データにもなります。教師データは、ＡＩが機械学習に使うためのデータで、良質なデータを多く学習することでＡＩの分析精度が向上します。

良質なデータを大量に溜める

録音ファイルを音声データにするためには、データクレンジングが必要です。これは録音ファイルのような未処理のデータ（非構造化データ）をＡＩが使える適切なデータ（構造データ）に整えることです（図15）。

この作業を行うことで、いつ、誰と、どんなテーマで話した音声か整理できます。タグ付けはそのための方法の一つで、日付、内容、参加した人の情報などをつけて音声データを整理し、使いやすい状態にします。

データの収集と蓄積は、このような良質なデータを増やしていくことが大きなテーマです。言い換えると、ＡＩに学習させても意味のない状態の音声ファイルが

図15　データ処理の工程

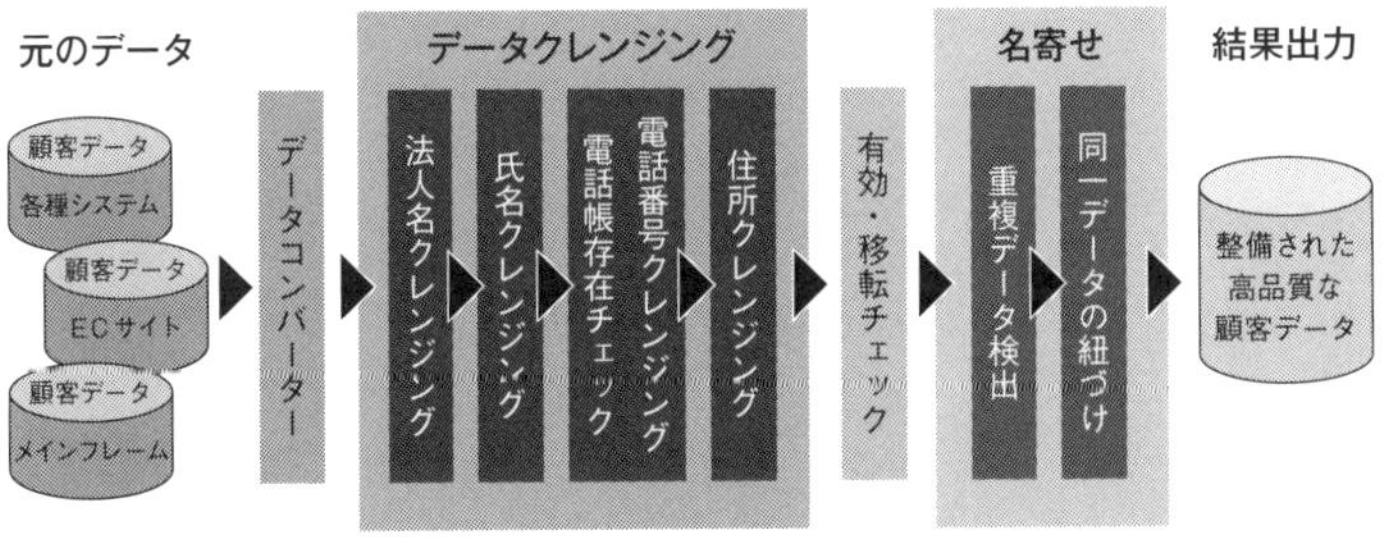

大量にあったとしても、その資産価値は低いということです。

すでに手持ちの録音ファイルがたくさんある場合、それら一つひとつにタグ付けすることもできますが、そのために手間、時間、コストをかけるのであれば、一から新しく音声データを溜めるほうが早い場合もあります。会話、会議、商談は日々、あらゆるところで行われていますので、使いやすい状態で音声データを溜められる仕組みを作れば、ゼロから溜め直したとしても数カ月で膨大な量の良質なデータが溜まります。

しかしながら、過去のデータの蓄積があれば、それを捨てて新たにデータ収集から始めることには抵抗がある人もいると思います。大事なのは、戦略的に考え方を変えることです。過去に投資した時間やお金に固執し、「もったいない」「無駄にしたくない」という思いから非効率な投資を続けてしまう心理をサンクコスト効果といい、録音ファイルはまさにその一例になりやすいです。しかし、重要なのは音声ＡＩの導入と活用を推進して収益を最大化させることで、そのためには既存の録音ファイルを活かすより、ゼロから音声データを溜め直したほうがよい場合もあります。特に音声ＡＩはまだ活用事例が少ないため、ゼロからの再スタートでも十分に先行できる可能性があります。

音声データの分析の仕組みづくり

次に音声データの分析の仕組みづくりを見てみます。音声データの分析は３段階でとらえられます。

第１段階は可視化です。音声ＡＩで分析したデータは、タグ付けをして整理し、ダッシュボードなどに表示して推移を見ることができます。例えば、商談の中で特定のキーワードが出る回数や増減を見ることができます。商談成立までに商談を何回行っているか、会話時間がどれくらいかということも把握できます。

ただ、これでは分析にはなりません。顧客との会話で特定の言葉がよく出ている、成績が良いハイパフォーマーは1回あたりの会話時間が長い、という傾向は見えますが、営業活動を改善していく次の一手を考えるためには情報が足りません。

そこで第2段階として定量的な分析を行います。営業活動を例にすると、ハイパフォーマーの月当たりのアポイント数や訪問回数、商談の中で商品のアピールポイントを伝えた回数、商談化が多い業界と少ない業界の差などを数値化します。

数値化によって活動内容の詳細が見えると、改善すべき点や強化すべき点が明確になります。ハイパフォーマーの行動特性をほかの営業担当者に教えたり、受注数が多い業界の営業担当者を増やしたりといった判断も可能になります。データの詳細が明らかになるほど、次に取るべき適切な一手が見えてきて、具体的な示唆を得ることができるのです。

第3段階は、商談や会話の内容をさらに深く掘り下げ、定性的に分析します。例えば、数値データから商談で特定のキーワードが出る回数が増えていることが分かった場合、その背景を探り、顧客の課題を考えたり、課題解決に役立つ営業スクリプトを作成したりすることができます。

特定の競合他社の名前が一定回数出ていれば、自社の商品との差を見ることもできます。また、感情解析エンジンでは会話相手の感情も見ることができます。この機能を活用することで、顧客の反応を詳細に分析し、それを基に営業活動を改善することができます。

外部環境のデータと組み合わせる

分析では、音声データと、音声以外のデータを含む外部のデータを組み合わせたり突き合わせたりすることも大事です。自社と顧客との会話のほかに、市場、競合、業界というマクロなデータを組み合わせることで、営業活動の幅を広げることができます。既存の技術の新たな組み合わせがイノベーションにつながるように、種類や視点が異なる知見の融合が新たな発見につながるということです。

例えば、どのような商品が売れているか、その背景にどのようなニーズがあるかを見ていくと、自社商品の中にその課題を解決できる商品があるかもしれません。業界ごとのニーズの大きさを見ていくことで、「この業種にはこの商品が売れやすいのではないか」「こういった特徴を持つ顧客にニーズがあるのではないか」といった仮説を立てることができ、新たなターゲットの選定や開拓においてデータから示唆を得ることができます。

このような分析は専門性が高いため、データを読み解く力、組み合わせて見る力、仮説を立てる力などが求められます。データの収集やタグ付けによる整理はＡＩに任せられますが、より高度な分析を行っていくためには、専門家のサポートを受ける必要があります。自社で分析の仕組みを作る場合も、ＡＩ分析専門のチームを作り、独自の分析モデルを構築しなければなりません。

一部の大企業を除き、自前でＡＩ人材を育成できる企業は多くありません。そのため、必要に応じてデータサイエンティストをはじめとする外部の専門家に参画してもらうのも一つの手です。

仮説を立てるためには発想が重要で、ここには人が関わる必要があります。現状では、ＡＩにはできないため、人が組織、市場、顧客の課題を見ながら、課題解決につながるかもしれないアイデアを出します。

そのためには、発想したりアイデアを練ったりする時間が必要です。ニワトリが先か卵が先か、という議論になりますが、音声データ活用で議事録業務などを自動化すると、人が人にしかできない業務に使える時間が増えます。ＡＩに任せることを増やすことがさらなるＡＩ活用につながっていきます。

社内システムとの連携

音声データや分析した情報の共有は、マーケティング部門や営業部門という限られた部門で持つのではなく、部門の壁を超えて共有していくことが重要です。そのためにはＣＲＭなど各部門が共通して使えるプラットフォームが必要です。

情報共有の場ができると、あらゆる部門から音声データを集めやすくなり、ＡＩ活用で重要な良質なデータを大量に持つことにもつながります。また、音声データをＣＲＭに溜めていくだけでは、「聞くのが面倒」「時間がない」と感じる人もいるため、なかなか活用されません。

そこで、Ｓｌａｃｋなどのメッセージアプリを使うこともできます。例えば「この顧客の反応が良かったので何分何秒のところを聞いてください」という指定をすることで、手軽に音声データを共有できるようになり、他部門との連携も推進できます。

音声データの共有が進むと The model 型の営業活動では、見込み客を絞り込むインサイドセールスの部隊と、商談を進めるフィールドセールス部隊の連携を強化することができます。「この見込み客はこの課題を重視している」「この商品のこの機能に興味を持っている」という情報を、単にテキストや口頭で伝えるだけでなく、音声データを加えることで顧客の熱量や関心度合いなどをより具体的に伝えられるようになります。

逆に、フィールドセールスが商談の結果に音声データをつけて、インサイドセールスにフィードバックすることもできます。この流れができると、顧客に関するインサイトを増やし、見込み客を絞り込むスキルの向上に役立てることもできます。

魔法の杖を使える人材が必要

経営側の課題は社風と慣習です。現状として業績が安定していたり伸びていたりする企業は事業や経営を変革する必要性を感じづらくなります。

本来であれば、業績が良いときこそ新しい取り組みをはじめ、競合との差を広げていくことが重要なのですが、過去から現在までの成功体験があるため、資金や時間や人員を投じて現状を変えるよりも、既存の方法を維持し、それを強化しようと考えてしまいます。

また、従来型の営業活動は「The Model」型の営業も含めて、インサイドセールスの通電数、インサイドセールスからフィールドセールスへの案件化数、フィールドセールスの受注数などをKPIとし、人を増やすことを打ち手として収益を伸ばしてきたケースが多いといえます。人を増やせば売上も伸びますが、ＡＩ活用の目的が少人数で最大の効果を出すことであり、またこれから日本の人口が減っていくことを考えれば、人を増やして売上を伸ばすことが難しくなります。

その対策は、数だけを見るのではなく、案件化や受注の率を高めることです。営業活動の中身を細かく分析し、生産性を高めていくことが求められます。そのような視点への切り替えが遅れている企業は、音声データ活用も遅れがちです。

また、「ツールやシステムを導入すれば万事解決するだろう」という誤った期待感も問題になります。例えば、録音ファイルを溜めてＣＲＭを導入すれば、自然と社内で音声データの活用が進み、ＡＩ社会に適応できる体制に変わっていくはずだというような考え方です。

音声ＡＩは魔法ではなく魔法の杖です。正しく魔法の呪文を唱える人がいて初めて役に立ちます。

魔法の呪文は、例えば、音声データ活用を推進する経営層の号令や、ＡＩ活用を通じて企業が目指す姿をメッセージとして発信することです。その呪文がないため、音声データの活用が進みにくくなっています。

小さな成功体験を作り出す

音声データの共有を促進していくためには、まず現場の意識を高めることが重要です。音声データの活用が現場にどのようなメリットをもたらすか、営業活動がどのように改善されるかを説明し、理解を深めてもらう必要があります。例えば、顧客を訪問する際に、ニーズの深さが分からない状態よりも、音声データを活用して期待感を事前に把握できているほうが商談をスムーズに進めることができます。また、音声データを確認して商品への関心が低そうだと判断した場合、関心度が高まるまでインサイドセールスにヒアリングを任せることで、時間や労力を有効に活用できます。

さらに重要なのは、小さくてもよいので営業の成果につなげることです。既存のやり方に慣れていて、音声データを確認することに抵抗感があっても、営業にとって重要なのは成果なので、実績が伴えば自然と使いたくなります。音声データを使って成果を伸ばす人が現れると、周りもその様子に影響を受けて使ってみようと思います。実際に使う人が増えていくと、より良い使い方も現場の声から生まれます。

音声データの活用は、「こういう使い方ができるのではないか」「このデータはこのような傾向を示しているのではないか」という仮説からスタートしますので、当たることもあれば外れることもあります。しかし、音声データを使うことが徐々に習慣化し、その可能性を感じる人が増えると、仮説が外れても次の仮説を考えるようになります。つまり音声データ活用のＰＤＣＡが回り始めます。その意味においては、音声データ活用は、営業部門での影響力がある人を味方につけることも大事です。社内推進力のある人が音声データ活用を推していれば、それが周りを巻き込む力になります。

これらはいずれもボトムアップの変化をもたらします。データを使うだけでなく、自分たちも音声データを集め、ＣＲＭに入れる意識が高まり、データリッチなＣＲＭにしていくことができます。

また、実績が増えるほど経営層からの注目と期待も上がります。さらなる推進のためのリソース面での支援も獲得するのが容易になります。

トップダウンでスピードを出す

ボトムアップの取り組みと並行して、経営側からのトップダウンも重要です。経営側には「システムを入れれば何かが変わるはず」という期待がありますが、議論を進めていくうちに、何のためにシステムを導入するのか、なぜ使うのかという目的がだんだんと曖昧になり、「手段の目的化」に陥るケースも少なからずあります。

そうなると、本来音声データ活用のスタートであるシステム導入がゴールになり、そこで推進の活動が止まってしまいがちです。

音声データを溜めて活用することは重要です。しかし、重要なのはその理由です。なぜ音声データを溜めるのか、なぜ活用するのかを明確にし、会社方針として発信することが求められます。

トップダウンで重要なのは、企業としての目的を明確にし、その目的を達成するためにデータを手段として活用することです。「溜めたデータを使って何ができるか」というアプローチもありますが、基本的には経営戦略から逆算して達成したいゴールを出発点とし、そのためにどのようなデータをどう活用して何を実現するのかを考えることが重要です。

目的から考えれば、例えば、何年かけて営業活動をデータドリブンに変革して市場内の競争力を高める、新規顧客を開拓するためにＡＩ活用してＡＩ社会で事業を伸ばす新たな仕組みをつくる、業務の自動化を進めて人が人にしかできない業務に集中できるようにする、という社内改革を進めることができます。目指す姿が見えてくれば、そのためにどのようなデータが必要か、そのデータを効率よく溜めるにはどんな仕組みがよいか、どの部分にＡＩを使うのがよいかという施策を考案できます。音声データの活用を企業方針として決めれば、そのために必要な投資や部門間連携を促進して、ＣＲＭでの情報共有をルール化するなど、経営層がトップダウンでスピード感をもって改革を推し進めることができます。

　また、営業活動の変革では、ベテランのほうが従来型の営業になじみがあり、音声データを活用する新しい方法に抵抗感を持つ傾向があります。若手の営業担当者がデータ活用に価値を感じていても、それをベテランに意見することは役職や年齢の関係で難しいことが多いです。

　その点でも、経営層によるトップダウンは大事です。会社方針として音声データの活用を推進していくと発信すれば、抵抗感を持つベテランもその方針に従わないわけにはいかないからです。ＡＩ活用は経営変革にもつながる大きな取り組みであるため、企業全体として一体感を持って取り組むこと、そして、その意思決定を会社として発信することが重要です。

推進チームを作る

音声データの活用は、その推進を専門的に担うチームを作ることも有効な手段です。これもトップダウンで行うことができます。

音声データの活用は、小規模な企業であればトップダウンでリードできますが、企業の規模が大きくなるほど部門数が増え、目的意識の浸透や社内調整に手間と時間がかかります。音声データの活用はＣＲＭなどをプラットフォームとして部門をまたぐため、各部門から意見を聞きながら全体最適の視点でシステムを構築していく必要があります。データを共有したくない、共有しづらいという理由も部門によって異なるため、その点でも広く意見を聞く必要があります。

また、システム構築では社内のシステム部門と連携する必要があります。社内でシステムを構築できなければ社外のベンダーなどと協業していく必要があります。

これらの多様な業務は、ほかの仕事と兼務するメンバーで進めることもできます。実際、システム部門の一部のメンバーが兼務で取り組むケースもあります。しかし、この取り組み方は推進が遅れやすく、社内調整がうまくいかずに頓挫するリスクが高まります。

その解決策となるのが、音声データの活用推進の旗振り役として、専門知識を持ち、責任感を持って取り組むチームを組織することです。専門チームができることで、音声データ活用の推進がスピードアップし、経営者が目指す方向性と実際にデータを活用する現場の間に立つことで、会社方針を外すことなく、現場の要望にも応えることができます。

一体感を醸成する中間管理層

部門をまたぎ、多くの人を巻き込みながら、一体感を持って音声データ活用を進めていくためには、中間管理層の役割も重要です。経営層が音声データ活用を重視し、会社方針として推進しようと考えていても、その方針が現場に伝わっていないと、現場の担当者は「やらされている感」を持ってしまいます。「会社が言うから」「命令だから」という気持ちでは共有は進みません。現場に会社方針を伝え、音声データ活用の価値を理解させるのは中間管理層の役割です。

また、そもそも中間管理層が会社方針として音声データ活用を重視していることを理解していることも重要です。中間管理層がＡＩ活用の価値を理解していないと、ＣＲＭに情報を入れる、音声データを使うという作業だけを担当者に指示してしまいます。すると現場の担当者は、会社として目指す姿や自分たちにどのようなメリットがあるのかが見えず、単に作業が増えただけと感じてしまいます。

逆に、現場でＡＩ活用の関心が高い場合、その要望を経営者に伝えるのも中間管理層です。現場の担当者が業務を効率化したい、生産性を高めたいと思っていても、上役である中間管理層が従来どおりの業務のやり方に固執していると変革は起きません。

ベテランになるほど変化に抵抗感を持ちやすい傾向があるという話にも通じますが、新しい働き方を求める担当者の声が、中間管理層で止まってしまうケースも実際にあります。中間管理層の積極性が足りない場合、中間管理層を対象とした教育で意識を変え、経営層と現場をつなぐ役割を十分に果たせるようにすることが重要です。

データ活用のリスク対策

経営者の役割としてもう一つ重要なのは、データ運用のセキュリティ対策です。これは、大量のデータを扱うようになるほど重要な課題になります。

セキュリティ対策では、まず大量のデータをどこに保管するかを慎重に考える必要があります。データが外部に漏洩《ろうえい》したり悪用されたりした場合、企業の信用が損なわれ、損害賠償が発生することもあります。また、ビジネスの改善のヒントや新規事業のタネになるという点で見れば、ＡＩ社会における音声データは企業にとって貴重なアセットです。そのため、データの保管場所を慎重に選択し、事前に対策を講じることが重要です。日本では、２０１７年に全面施行された改正個人情報保護法により、声紋が個人識別符号として個人情報に含まれることが明確化され、個人が特定できる生体情報はすべて個人情報として扱われている点にも留意が必要です。

対社内においても、セキュリティ対策が必要です。また、データの民主化は重要なことですが、すべての音声データに全員がアクセスできるようにしてよいかは検討しなければなりません。必要に応じてアクセス権限を設け、その内容を明確にして認証と認可の仕組みを作り、音声データへのアクセスを制御する必要があります。

制度の面では、法律の問題もあります。現行の法律では、２０２２年4月の個人情報保護法改正に伴って、通話内容から特定の個人が判別できる場合は、通話録音は個人情報に該当すると定められています。そのため、企業として音声データの活用を推進していくためには、個人情報の保護に関する法律を踏まえる必要があり、そのうえで、音声データの活用に関するガイドラインを作成したり、音声データを漏洩させないための仕組みを作ったりする必要があります。

さらに、音声データの扱い方について社内の研修プログラムなどでリテラシーを高めていくことも重要です。このような研修により、社内での音声データの正しい活用や、音声データの漏洩や不正利用リスクについて知識を深めます。

一歩先を行く対策として、他人の音声を模したなりすまし対策も重要になるでしょう。生成ＡＩをビジネスに活用する社会になると、技術的に、他人の音声を模倣し、悪用することも可能になってしまいます。すでに画像の分野では著名人にそっくりの人を合成するディープフェイクの動画が作られています。音声も同様に、他人の声を合成するディープフェイクボイスがあり、現状として、このような模倣を完全に見抜くソフトウェアはありません。したがって、自社で運用のルールや音声データの加工を制限するなどして防ぐ仕組み作りが必要となります。

第5章

これから迎えるAI全盛時代……

音声データがもつ価値はますます高まっていく

VOICE ANALYSIS

Business Revolution brought about by Voice x AI

ＡＩ社会での競争力を高める

ＡＩ社会で先頭を走るためには、まだ活用の進んでいない音声データを最大限に活用することが求められます。

業務では、簡単な業務や繰り返しの作業をできる限り多くＡＩに任せます。資料へのテキスト入力、翻訳、議事録の作成、計算などはすぐに任せられることで、単純作業であるほど人よりもＡＩのほうが速く正確に処理します。そのような業務を洗い出し、ＡＩの活用領域を広げていくほど生産性が向上していきます。

ＡＩに業務を任せることは経営の変革にもつながります。ＡＩが民主化する社会は、要するに、ＡＩ活用の度合いが企業の成長に直結する社会です。そのため、どこまでＡＩを活用しているか、どれくらいの割合の仕事をＡＩに任せているかが新たなＫＰＩになります。文字入力や計算という作業系の業務のうち、人が担う割合をゼロにした企業が競争で優位に立ち、人力でやろうとするほど置いていかれます。

マネージャーや経営層の業務も同じです。ベテランの判断基準や過去の事例といったデータを材料にすることで、マネージャーが逐一考えなくてもロジカルな判断をＡＩから受けられるようになります。この仕組みを最大限に使うことによって業務の効率化と最適化が進み、現場の担当者の負担やミスも減っていきます。

このような変化はいずれも音声データを増やすことが出発点なので、経営層も現場も日頃の会議やミーティングの内容を音声データとして蓄積していくことを徹底し、習慣化していくことが大事です。また、音声データをはじめ、あらゆるデータを入力して溜める社風を構築した企業が市場で競争力を持ちます。ちなみに、世界的に著名な投資家であるレイ・ダリオ氏が率いる世界最大のヘッジファンド「ブリッジウォーター」では、ラジカル・トランスペアレンシー（徹底的な透明性）を体現するために、会議の内容をすべて録画し、従業員があとで閲覧できるようにしています。これにより、意思決定過程が共有され、組織全体で学びや知識が蓄積されます。レイ・ダリオ氏は、このような知識の蓄積と共有する文化・仕組みが、ブリッジウォーターを世界最大のヘッジファンドに育て上げたと語っています。

言語の壁がなくなる

音声データを溜めていく一方で、ＡＩや音声データのさらなる活用方法を考案することも重要です。活用事例の数とその効果がＡＩ社会での競争力に直結すると考えれば、アイデア出しも全社を巻き込んで取り組む必要があるでしょう。

自動営業ＡＩや自動顧客対応ＡＩといった、誰でもすぐに思い浮かぶような活用案は、経営層がトップダウンで全社に検討指示すればよいですが、ＡＩがカンブリア大爆発的に変化・進化している現代においては、経営層が最新の情報を把握するのはもはや不可能なので、組織論の在り方も変える必要があると思います。

17世紀のオランダ東インド会社に端を発した株式会社の誕生以降、株式会社の組織形態は基本的に株主総会・取締役会で決められた方針を上意下達で伝え、市場に約束したKGI（重要目標達成指標）／KPIを達成していく「マネジメント」が重要でした。

一方でどんどん複雑さが増している現代においては、上意下達の「マネジメント」だけでは追いつかなくなっており、従業員一人ひとりに決定権を委譲し新たな発見や挑戦を促進していくことが重要です。そのためには前提としてエンゲージメント（会社に対する思い入れ）がなければなりません。

これは金融・経済の世界を例に考えてみると分かりやすいと思います。これまでの金融市場は、中央銀行が金融政策で貨幣の流通量を決め、民間の金融機関を上意下達でマネジメントしていました。しかしブロックチェーンの登場によって、中央集権に対して反旗が翻され、個人間の取引が自由に行えるようになり、個人の存在感が相対的に増してきました。

組織でも同様の事象が起きているように思います。その証拠に２０１４〜２０１５年頃から、個々の社員に意思決定権がある組織形態であるティール組織や、社内に役職や階級などがないフラットな組織形態であるホラクラシーという概念が提唱され始め、それと同時に１on１やコーチングというキーワードも注目を浴びてきました。

これらの言葉は単純に局所的に注目されているのではなく、組織の在り方がマネジメントからエンゲージメントに大きくシフトせざるを得なくなっている中で、必要不可欠な概念としてとらえられるようになったと考えるほうが適切です。

この意味においても、組織の在り方を上意下達でマネジメントしていくものから、社員個々のエンゲージメントを引き出すものに変えていく必要があり、およそ経営層では思いつかないようなアイデアを現場からボトムアップで上げてもらうような仕組みづくりや仕掛けも重要になってきます。

そして、全社を挙げて新たな活用法や最新のＡＩ活用事例を知る際も、ＡＩが活躍します。例えば、ＡＩ先進国であるアメリカの最新事例を調べる場合、従来は言語の壁を乗り越える必要がありました。入手した情報が英語の文書であれば翻訳しなければ読めません。この手間が日本でＡＩ活用を遅らせる要因の一つにもなっていました。

しかし、今は翻訳エンジンを利用することで簡単に翻訳でき、最先端の論文などを即座に日本語で読めます。セミナーなどの動画も音声認識エンジンと翻訳エンジンを組み合わせて字幕を出すことができます。つまりＡＩによって言語に起因する情報の非対称性がなくなりました。この環境を利用してＡＩの知見を増やしていけば新たな活用のアイデアも出やすくなります。

言い換えると、活用事例を増やしてＡＩや音声データの価値を高めていくためには、ＡＩを使う自分たちも学ぶ必要があるということです。人が学ぶと、その知見はＡＩに入力できます。学ぶことが学ばせることになり、ＡＩを育てます（図16）。ＡＩ社会は人とＡＩがともに成長する社会です。ＡＩ社会における音声データが資産であるとすれば、学ぶことが資産を増やすことにつながります。

また、インプット（情報収集）もさることながら、アウトプット（情報発信）の

図16　人とAIの学習の相互作用

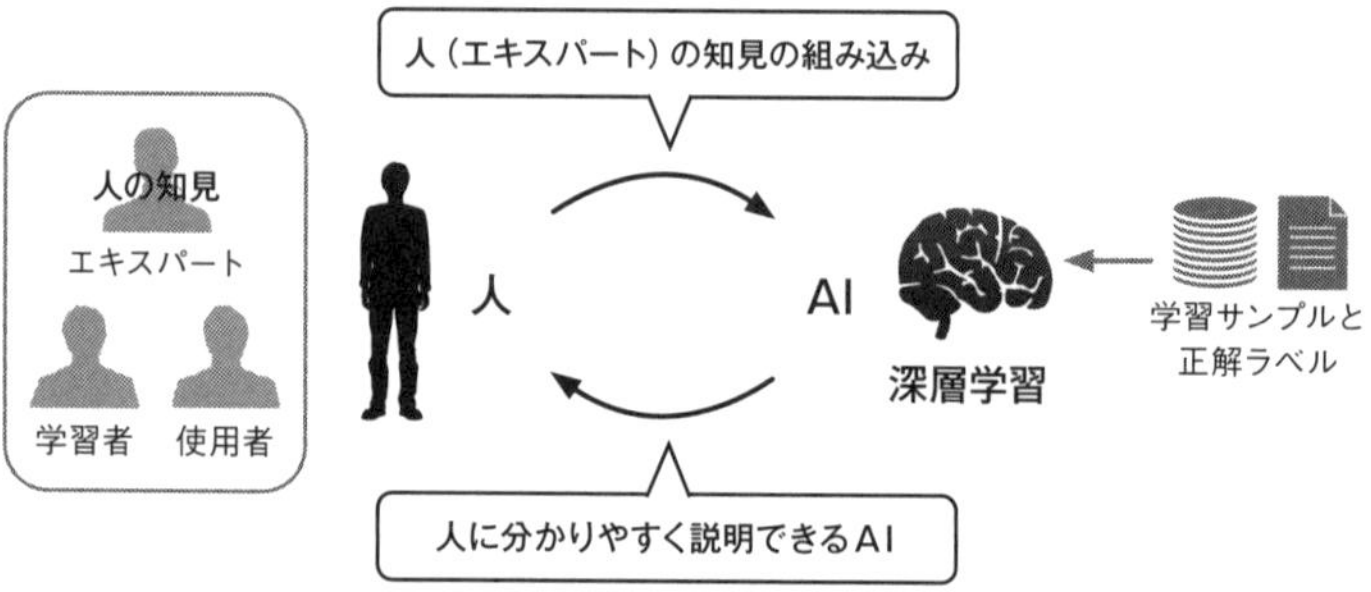

革命もＡＩによってもたらされています。

ひと昔前までは、出版に際して著者が原稿用紙に手書きで書いていましたが、やがてワープロになり、パソコン、オフィスソフト、クラウド化された文書編集ソフトの登場によって飛躍的に生産性が向上し、アウトプットの量が圧倒的に増加してきました。

そして、音声ＡＩ革命により「声」で文章を「書き」、そのうえで文章校正までもＡＩに実施してもらうことが可能となりました。

こうすることで、歩きながら、料理しながらなど何かほかの作業をしながら文章を書けるようになり、人間は圧倒的にアウトプットするのが容易になりました。私がよく論文を書いていた学生時代にこの環境がなかったのが悔やまれるほどです。

ただ、このようなＡＩ革命の裏で、ＡＩが嘘《うそ》の情報を生成してしまうハルシネーションもさることながら、悪意を持った人がＡＩを活用して、偽情報や誤解を与えるような情報を意図的に発信することのリスクも増大しています。この意味において、アウトプット革命に伴い、情報をインプットする側のリテラシーを高めることがますます重要になってくると考えられます。

企業独自のＡＩをつくる

ＡＩを利活用する際には、ＡＩを支えるいくつかのレイヤーに分けて考える必要があります。大きく分けると、インフラレイヤー、データレイヤー、アルゴリズムレイヤー、アプリケーションレイヤーとなります。

よく報道で騒がれるのが、インフラレイヤーとアルゴリズムレイヤーです。なぜならば、これらは巨大な資本が必要なレイヤーで、巨大なＩＴ企業が巨額の投資をしているからです。

これらのレイヤーでは、巨大な資本が必要であるため、少数の大企業が寡占的に市場を掌握しがちで、やがてそれらの技術は一般化されます。パソコンの歴史を例に出すと分かりやすいように思います。

パソコンが発売された当初は、ハードウェアやＣＰＵ／メモリ、ＯＳなどが重要でしたが、近年ではどのパソコンもすでに一定以上の高性能なメモリなどが搭載されており、一般化しつつあります。この段階に入ると重要になるのはアプリケーションレイヤーで、パソコンを活用してどのようなアプリケーションを使い、どんなアウトプットを出すのかがポイントになります。

そして、このアプリケーションはすでにクラウド化され、常に最新のアプリケーションを手軽に利用できるようになっています。分かりやすいのはＭｉｃｒｏｓｏｆｔ ｏｆｆｉｃｅで、以前は家電量販店で買っていましたが、今はすべてクラウド化され、サブスクリプションベースで常に最新版のオフィスソフトを活用できるようになっています。データについても、パソコンのローカルサーバーに保管することは基本的になく、すべてはクラウドサーバーに保存されています。

この意味において、ハードウェアはむしろ一定スペックであればなんでもよくなっており、買い替える際も、データやアプリケーションはすべてクラウド化されているため、スムーズに切り替えることができるようになっています。ひと昔前にはデータのバックアップを必ず取って、パソコンを替えるときに苦労しながら移管作業を行っていたことを考えると、技術の進歩は目覚ましいものがあります。

アルゴリズムレイヤーにおいては、今後万能なＡＧＩが出てくるという意見もありますが、私は各分野に最適となるようにチューニングがされたＬＬＭモデルが乱立すると考えています。分野ごとに最適化するためには、各分野の固有のデータが必要となります。

ビジネスにおいては、基本的にすべての企業が各分野で差別化を図って事業活動をしているため、各社が独自のデータを保有しています。したがって、一つひとつ

図17　企業独自のAIをつくる

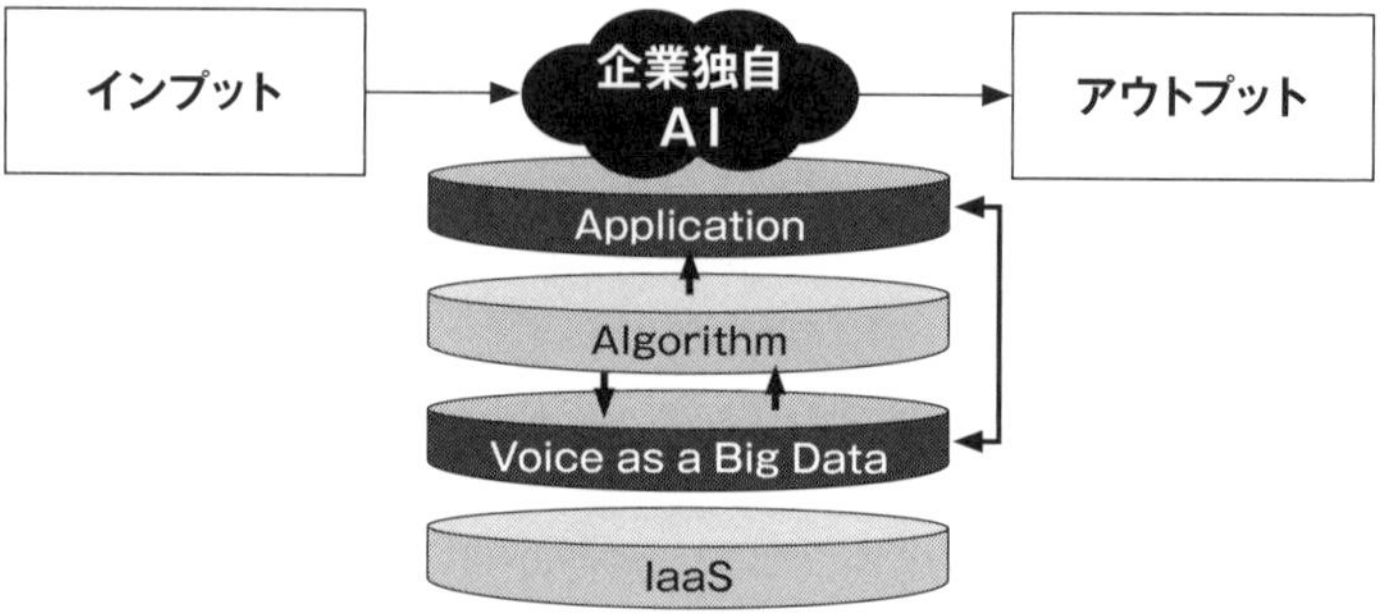

の企業がチューニングするための固有のデータを持っているわけで、そのデータそのものが最大の差別化要因、かつ競争力の源泉となり得ます。

　どんなに規模の小さい会社であったとしても、固有のデータを大量に持っていれば、そのデータを基にチューニングして、独自のＡＩを構築し、一気にビジネスを加速させることも可能になり得ます。この意味において、職人気質で細部にこだわりがちな日本企業はとてもユニークなデータを持っている可能性を秘めており、ポテンシャルは大きいのです。

　したがって今すぐにやるべきことは、自社がどんなデータを持っており、そのデータを活用してどんなアウトプットを出せるのかゴールイメージを持つことです。そして、そのゴールイメージから逆算しながら、データ基盤を速やかに構築し、競争力の源泉となり得るデータを蓄積することが極めて重要となります。

ＡＩにできないことが競争力を生む

企業がＡＩを積極的に活用しＡＩに任せる業務が増えるほど時間に余裕が生まれます。これからの時代に企業の競争力を高めていくうえでは、この時間を有効に活用し、新たな成長の機会を見つけ出すことが重要です。

人が取り組むべき業務のキーワードは「ＡＩにできないこと」です。少なくとも現時点において、ＡＩにできないことは何か、そのヒントは人間の脳と人工知能を比較することで見えてきます。

人間の脳はざっくり分けると、古い脳と新しい脳の２つからなるといわれており、古い脳はさらに爬《は》虫《ちゅう》類脳と哺乳類脳に分けられます。爬虫類脳は、何か熱いものを触ったときに熱いと反応する反射神経をつかさどり、哺乳類脳は仲間意識等をつかさどるとされています。

その古い脳の周りに、大脳新皮質という新しい脳が生まれ、そこに言語野が生まれ、ホモ・サピエンスは言語を手に入れました。

ホモ・サピエンスは大脳に言語野を手に入れたことにより、さまざまな物事を伝承できるようになり、文化・文明・科学を発展させることができました。人間の言語習得に類似したプロセスをもつＬＬＭの登場は、ホモ・サピエンスをホモ・サピエンスたらしめている新しい脳の言語野をリプレイスし得る存在になると言っても過言ではありません。

そして人間とＡＩ（ＬＬＭ）の差は、今後比較対象にならないほどに開いていくであろうことは疑いの余地はなく、さまざまな分野でＡＩのほうが優れていくことになります。

そうなると、ホモ・サピエンス的な新しい脳の相対的価値が下がり、むしろホモ・

サピエンス的でない古い脳の相対的価値が上がることになります。

すなわち、反射神経や仲間意識などです。人々をあっと驚かせるような驚異的な身体能力や、なんとなくこの人といて心地がよい・信頼できる・面白いと感じさせるような本能的な仲間意識が相対的に重要になると予想されます。さらに経験を積むために自ら出向くことも、人にしかできないことです。人は、自分の意思で行動し、どこにでも自由に移動できます。気分一つでどこへでも行けるこの自由さは、日常生活では当たり前のことですが、実は人間に特有の能力です。

経営には「現場を知る」という言葉があります。現場は社会変化のフロントラインです。そこで起きていることから何かを感じ取ることや、そこにいる人の考えを学ぶことは、リアルな情報をアナログで取得する貴重な経験です。そのような経験を求めて外に出たり、観察したり、人と会って話を聞いたりすることは、ＡＩにできないことを知見にするという点でこれからのＡＩ社会でさらに重要になっていきます。

ＡＩ活用の取り組みでは、ＡＩからの出力に責任を持つことも人にしかできないことです。ＡＩからの出力は精度が高く、そのレベルはさらに高まっていきますが、間違えないわけではありません。また、間違えたとしてもＡＩは責任をとらないため、そのフォローは人がしなければなりません。だからこそ、ＡＩの出力を鵜《う》呑《の》みにせず、ＡＩは常に正しいという思い込みにも注意して、批判的な思考で業務に組み入れていくことが大事です。

経営者の役目は変革を起こすこと

ＡＩが普及するとＡＩが社会を変えているように見えますが、ＡＩに変革の意思はありません。実際に社会を変えているのはＡＩを有効活用する人です。

変革に必要なスキルは４つあります。１つ目は、未来を描く力です。

未来を描く力は、ロジカルなアプローチとイロジカルなアプローチがあります。

ロジカルなアプローチは市場や競合企業のデータなどを踏まえて企業が勝ち残る道を見定めていくデータドリブンな方法です。これはAIに任せられるようになり、今後、ますますAIによる分析や予測の精度が高まっていくことで、企業や事業が最も成長できる方法や、人が最も効果的に成長する方法を選択しやすくなります。このスキルを高めるためには良質なデータを大量に溜めながら自社独自のAIを育てていくことが重要です。

一方のイロジカルなアプローチは、成功確率や成長の効率とは別の基準で考える方法です。例えば、市場のニーズが小さく、ロジカルに考えれば成長する見通しが立ちにくい事業でも、「面白そう」「やってみたい」という想いで挑戦する経営者もいます。ニーズがあるかどうか分からない状態で、「こういう商品があったら喜ばれるはず」「こういうサービスで社会を良くしたい」という想いで事業に取り組む人もいます。AIに論理的に判断させて「やらないほうがよい」という結論が出る場合、それはおそらくイロジカルな判断です。しかし、挑戦する経営者にとっては、その挑戦が論理的に説明できないだけで、一定の価値や意義があると感じています。

企業や事業を取り巻く環境が大きく変わっていく可能性を考えると、今は存在しない市場が50年後には当たり前に存在しています。ＡＩはまさにその一つで、コンピューターのアドバイスを受けながら経営する会社を50年前に想像した人は変人扱いされたに違いありません。

このような未来は過去のデータ分析からは見えないため、ＡＩに描くことはできません。これは人の創造力がなせることで、未知の可能性に事業機会を求めていく意思決定ができるのも人です。ジャンルを問わず、社会を変える事業を作った名経営者もこのタイプの人が多く、ＡＩ社会に向かう潮流とは逆行するかもしれませんが、勘、度胸、根性というＡＩにない力を原動力として、ＡＩが「おすすめしない道」を切り拓いていくことが変革につながることもあります。

熱量と信念が人を動かす

変革に必要な2つ目のスキルは、伝える力です。

人に物事を伝えるときには、大きく分けて2つの伝え方があります。一つはデータを根拠として説得する方法です。これはＡＩを活用できる方法で、変革への道筋や成功する可能性を具体的に見せることができます。ＡＩの性能が高まるほど説得力は増します。

もう一つの伝え方は、熱意や信念という数値化できない、または、しづらいエネルギーによってどんな変革を起こしたいかを伝えることです。

先日も、ある経営者の側近の人から「さすがに無理だからやめようと社長を説得しに行ったはずなのに、なぜか30分後に会議室を出るときには全員が、これはいけるという気持ちに変わっていた。ロジカルに説明しろと言われても無理なんだけど、みんなが大丈夫という気持ちに変わっていた」という話を聞きました。

伝えたい内容が非現実的であったり実現可能性が低かったりする場合、相手はそのアイデアを聞いて、「やっても無駄だろう」と判断するかもしれません。「夢物語だ」と思う人もいるでしょう。

しかし、なかには「面白そうだ」「自分も関わりたい」と感じる人もいます。人はＡＩと違ってすべてのことをロジカルに判断しているわけではなく哺乳類脳も持っています。そのため、ロジカルには協力する価値が見いだせないことでも、熱量に触れて協力しようと思ったり、夢物語の世界観を理解できたりします。これは人が持つ力で、データや根拠で説得することが難しくても、「この人は裏切らない」「やり切るはず」「信頼できる」と感じてもらうことで、相手に納得してもらい、一緒に変革を目指す仲間になってもらうことができるのです。

人は日常の業務でも、この２つのアプローチを両方使いながら、何かを伝えたり、伝えられたりしています。例えば、新しいプロジェクトを始めるとき、まずはそのプロジェクトがなぜ重要か、企業の収益や社会にどのようなメリットがあるか、プロジェクトに関わることで個人にどのようなメリットがあるかということをロジカルに説明します。

一方では、一緒に頑張ろう、挑戦しようという熱意を伝えることで、未来のイメージを共有し、協働していきます。

伝える力は、データで淡々と話すだけではなく、熱意だけで突っ走るだけでもなく、2つのアプローチを組み合わせてコミュニケーションを図る力です。この力が大きい人が、経営層なら人を動かし、現場であれば周りと協業しながら変革を起こしていくのです。

共感が人とのつながりをつくる

変革に必要な３つ目のスキルは、共感する力です。共感は仲間をつくり、増やし、変革に向けた大きなチームをつくることができます。

例えば、「おなかが痛い」という人が現れたとき、ＡＩはおそらく最寄りの病院の場所や、一時的に痛みを抑える方法を教えてくれます。これはこれで役に立ちます。

しかし、おなかが痛い当人からすると、じつはいちばん欲しいのは「大丈夫？」のひと言かもしれません。人はＡＩと違って体調が変わるため、過去の体験などから腹痛の苦しみを共感できます。共感することにより、心配したり、気遣ったりすることができます。逆に、相手にうれしいことがあったときに、その感情に共感して、一緒に喜ぶこともできます。ＡＩにはプログラムしない限り、このような機能はありません。そのため、共感によって仲間を増やすことはできないのです。

共感という点では、共感するだけでなく、相手の共感を得ることも重要です。例えば、経験したことの共有は、相手からの共感を得ることにつながります。

経験の中でも、特に失敗談は面白く感じ、聞きたいと思うものです。こういう失敗があった、こんなひどい目に遭ったという話が相手の興味を引き、つながりが深まることもあります。

ＡＩ活用によって正しく、完璧に業務をこなすことが当たり前になっていくほど、相対的に、どこか抜けている人や、過去に失敗したり傷ついたりしたことがある人の話や経験が価値を高めます。人はイロジカルな側面を持つため、常に完璧なエリートよりも、失敗経験を持つ人や、その経験を共有できる人を応援したいと感じることがあります。

目的がチームを強くする

変革に必要な４つ目のスキルは、実行する力です。そのために重要なのは強いつながりを持つチームづくりです。

ＡＩと人のすみ分けで見ると、これは人だからできることです。なぜなら、強いチームを作る仲間意識を醸成できるのは人が持つ哺乳類脳だからです。

少し掘り下げると、仕事の本質は、顧客や社会の課題を解決することにあります。そのためには、課題を見つけ出す傾聴力、解決策を考える思考力、課題解決に向けて周りを巻き込む仲間づくりの力が必要です。

傾聴力は、相手の悩み、困りごと、理想とする姿を聞き出し、その背景にある本質的な課題を見つける力です。これはＡＩでも深掘りできる領域です。

思考力は、課題解決の道筋をロジカルに導く力です。これもAIが得意とする領域です。複数ある解決策を分析することで、最も効果的で効率が良い方法を選択できます。

仲間づくりの力は、傾聴力と思考力によって導いた解決策を、より速く、より正確に、より強く推進していくための仲間を集める力です。有効な解決策が見えても1人でできることには限界があります。実行していくためには応援してくれる人や優秀なメンバーが必要です。そのような人を集めるためには、課題解決に取り組む目的を共有する必要があります。これは人にしかできない領域です。なぜなら、AIは目的を持つことができないからです。

目的は、チームづくりではパーパスと言い換えられます。パーパスは組織が存在する意義を示すもので、その内容に共感し、共有できる人が仲間になります。「このメンバーで一緒に取り組みたい」と感じることでエンゲージメントが高まり、「この取り組みが楽しい」と感じることがモチベーションを高め、これらもチームとしての実行力を大きくします。また、パーパスに紐づけて、チームが目指す姿をビ

表３　変革に必要なスキル

①未来を描く力	・市場や競合のデータに基づいたロジカル（データドリブン）なアプローチ。AIの活用が可能。 ・情熱や直感などで価値を考えるイロジカル（非論理的）なアプローチ。AIでは見いだせない未知の分野の探求につながる。
②伝える力	・具体的なデータや事実を根拠に、変革の道筋や成功の可能性を伝える方法。AIの分析能力が向上することで説得力が増す。 ・熱意や信念を通じてどのような変革を目指すかを伝える方法。情熱を感じ取った人々が共感し、行動を起こす蓋然性が高まる。
③共感する力	・AIが提供できる具体的な解決策に加えて、心配や気遣いによって相互理解が促進される。 ・人間的な抜けや失敗に対する共感は、人間同士のつながりを強化する側面をもつ。
④実行する力	・目的（パーパス）やビジョンを共有できるチームを作ることが、課題解決に向けた実行へとつながる。 ・異なる背景や専門知識をもつメンバーを含めた多様性のあるチームでは、解決策やイノベーションが生まれやすくなる。

ジョンとして示したり、パーパスを実現するための使命をミッションとして明確にしたりすると、チームメンバーの共感がより強くなります。同じ目的に向かい、ビジョンやミッションを共有するチームのメンバー同士のつながりも強くなります。

強いチームをつくるためにもう一つ重要なのは多様性です。変化の激しい社会では、顧客の課題も複雑化します。既存の解決策では対応できないケースや、より効果的な解決策が求められるケースが増えていきます。顧客の役に立ち続けるためには、常に新しい解決策を考え出すことが必要です。言い換えれば、イノベーションを継続的に起こし続けることが求められます。

往々にして、イノベーションは新しい組み合わせから生まれます。チームづくりも同じで、新しい解決策を生み出すには多様な考え方を組み合わせることが重要です。そのためには、自分とは異なる考えや価値観をもつ人がいることを認識し、違いを理解し、相手を認めて巻き込んでいくことが必要です。異質の人がそれぞれの視点で、異なる考え方を持ち寄ることで、課題解決に向けたまったく新しいアイデアが生まれやすくなります。それが企業や事業の変革につながっていきます。

日本全体が成長する新たなステージ

変化の激しい現代においては、企業にも変化することが求められるため、変革は企業の継続的な発展につながります。その過程でチームのメンバーが多様化すると、ＣＲＭなどに入力するデータも多様化し、良質なデータが増えることになり、データそのものの価値もますます高まります。

元来、日本企業は変革に弱いと言われ続けてきました。ＤＸについても欧米企業に大きく後れをとっているといわれています。

他方で、パラダイムシフトが起きて大きく前提条件が変わる条件下では、変革をしてこなかったことがチャンスとなり、むしろ巨額の投資をしてシステムや仕組みを変更しながら変革してきたことが、負の遺産となり仇《あだ》となることもあります。

ＡＩはこれまでの社会の在り方を大きく変えるようなパラダイムシフトをもたらすものです。この意味において、様子見をしながらじわりじわりとＤＸ投資をしてきた日本企業にとっては、一気に変革をもたらすチャンスが到来しているともいえます。

コロナ禍の緊急事態宣言が発令されたときにも明らかになったように、日本人は外的要因によって変革せざるを得ない環境におかれると、右向け右で社会全体が一方向に向かって一気に変化できる国民性を持っています。

つまり日本人ひいては日本企業は変化に弱い・変革を生み出せないのではなく、周りを差し置いて自分だけが変革をするということに弱いだけであって、何かしらの事象で世の中が一気にそちらに向かなければいけない状況下においては、むしろ一致団結して一気に変革を推し進めることができるポテンシャルを持っている国なのです。

この好機をとらえて、日本政府は２０２３年5月のG7広島サミットにおいて、広島ＡＩプロセスを立ち上げ、ＡＩに関する国際的なデファクトスタンダードを作る動きを見せています。この公的な動きを民間企業が全力で支持して、官民一体でＡＩを社会実装していく流れを作れるかどうかが、再び日本がグローバル社会において存在感を高められるかの分水嶺《ぶんすいれい》になります。

向こう数十年で生産年齢人口が半減してしまう日本において、生産性向上は必要不可欠で、日本は世界でいちばんＡＩ活用が求められている環境にあると言っても過言ではありません。

ここまで変革の経緯、国民性、社会的要請というピースがうまくそろっている状況は、日本にとって絶好の追い風であると感じます。

そして日本企業がＡＩ活用に取り組む際に特に重視すべきなのは、音声コミュニケーションです。日本文化はハイコンテクスト文化・おもてなし文化なので、微妙な声のトーンやニュアンスが重要となります。日本に住んでいると気づきにくいかもしれませんが、営業担当者も、コールセンターも、行政サービスも、あらゆる対応が外国とは比べ物にならないほどきめ細かです。

そんな日本だからこそ音声データを有効に活用すべきです。生産性向上につながるだけではありません。ユーザーインターフェースがＧＵＩからＶＵＩに変革するなかで、ＶＵＩは「ながら」活用で自由に使える時間も増えるため、生産性が圧倒的に向上し、かつその微妙なニュアンスや日本のおもてなし精神に基づくきめ細かな音声データをビッグデータとして資産化することができれば、これをＡＩ実装して、日本流のＯＭＯＴＥＮＡＳＨＩ　ＡＩを構築することもできます。

日本人のおもてなしの精神は、今まで言語の壁に閉ざされていたため日本国内に閉じた状態で提供されてきました。しかし、音声認識エンジン、翻訳エンジン、合成音声エンジンなどの音声テクノロジーを使えば、日本特有のおもてなしを外国語で表現し、輸出することができます。

例えば、外国人が感動する日本語の対応を、リアルタイムで外国語の音声に変えて提供していくことができます。おもてなしという日本固有の資産をキーワードにして、音声テクノロジーによってその価値を周知していくことができます。世界における応対のスタンダードをつくり、カイゼンに続き、日本が世界に手本を示せる新しいジャンルを創出していくことができるかもしれません。

これは音声データの活用のほんの一例にすぎません。海外での事業が広がれば、現地の価値観と触れることが多様性につながります。海外での営業活動を音声データとして蓄積していくことによってデータリッチになり、音声データの価値がさらに高まります。

このような事業機会と成長の可能性が広がっていくのが、これから拡大期を迎える音声ＡＩの世界です。だからこそシステムの導入だけでなく、ＡＩ人材の育成やチームづくりでも、事業変革に向けた取り組みで、あらゆる角度から音声データの活用を考え、そのための取り組みを加速させていくことが重要なのです。

ＡＩの根源はデータです。これまでの資本主義における資源は、石油や石炭のような手に取って持てるタンジブルな資源でした。しかし、ＡＩ時代における資源は、手に持って感じることができないインタンジブルなデータになります。

なにげなくとっている日頃の音声コミュニケーションそのものが、資源であるという意識をもって、そのコミュニケーション自体を資産化することで、日本はＡＩ時代における「資源国」になり得るのです。

おわりに

脈々と進化を続ける長い人類の歴史の中で、文化的に大きく発展した時期の一つが古代ローマ時代です。

街にはコロッセウムやパンテオンなどイタリアを代表する建築物ができ、人々はテルマエと呼ばれる公衆浴場に集まって話に花を咲かせました。古代ローマ人たちはテルマエで何時間も過ごしていたといわれます。建築、美術、文学という創作活動が発展したのも、ギリシャ文化を背景とする哲学が花開いたのも、十分な時間の余裕があったからでしょう。

翻って現代を見てみると、創作活動にいそしむ余裕がないくらいに時間に追われています。特に日本は経済成長が鈍化していることもあって、精神的にも余裕がない状態が続いています。

余裕がない社会を形成している原因の一つは労働生産性が低いことです。生産性が低いため、多くの人が猛烈に働かなければならないのです。

生産性を分解すると、能率と効率の掛け算といえます。教育水準も倫理感も高い日本人は、能率の面では世界トップクラスです。つまり生産性が低い根本的な原因は効率の悪さです。仕事を中心として、あらゆるところにムダとムラがあり、それがムリをしながら生きる日常を生み出しています。人と接し、話し、豊かな社会をつくることを邪魔しているのです。

ここはＡＩ活用が貢献できる領域です。ＡＩは、人をムダ、ムラ、ムリから解放します。この恩恵を受けることで、本格化しつつあるＡＩ社会では、私たちは経済的、時間的、精神的な余裕を持てるようになるかもしれません。

もう一歩踏み込むと、効率が悪い理由はさまざまありますが、コミュニケーションコストが高いことが大きな要因だと思っています。

コミュニケーションコストは、情報の伝達や意思疎通にかかる時間や労力のことで、現状はコミュニケーションが円滑に行われていないことが効率を下げています。

コミュニケーションの主体は言葉です。その言葉の多くを、対面や電話やリモートを問わず、私たちは声で伝え合っています。

だからこそ、誰が何を言っているかを正確に理解することが重要です。ここは音声ＡＩが貢献できる領域です。言葉を可視化し、声に含まれる情報を分析し、伝えたいことを伝わりやすくすることが、単に仕事を効率化するだけでなく、余裕のない日常を良い方向へ変えていくと思っています。その先には、意見やアイデアの交換に十分な時間をかけられる社会があります。古代ローマ人たちのように、自分、他者、社会、未来のことを思いながら、何時間にもわたって雑談をして過ごせる時代があります。

本書の中でも触れたとおり、ＡＩにできることと人にしかできないことは分けて考えることが重要です。雑談や議論を通じて刺激を受け合い、想像を膨らませたり、それを創造物として形にしたりすることも人にしかできないことです。

ＡＩ社会は生産性向上の社会であり、見方を変えれば人が人らしく生きる社会でもあります。そのような未来を創り出すために、ＡＩのさらなる発展に期待し、私たちも音声×ＡＩの分野でさらなる貢献をしていきたいと考えています。

會田武史（あいだ たけし）

三菱商事株式会社に入社し、自動車のトレーディング、海外市場での販売／マーケティング施策の企画・立案・実行、クロスボーダーの投資案件・新会社設立、政府向け大口入札案件、M&A案件などに従事。2017年7月に株式会社RevCommを設立。

トーク解析AI「MiiTel（ミーテル）」を開発し、音声解析×AIの第一人者として、定量的に営業や顧客対応の内容を把握し、生産性が高いコミュニケーションをAIで解析することにより営業時の成約率向上や解約率、教育コストの低下を実現している。

Forbes JAPAN「日本の起業家ランキング TOP20」に3年連続選出されたほか、2023年4月にはアジア企業で唯一、米国「Forbes AI 50 2023」に選出、2023年5月にはデロイト トーマツ グループ「Technology Fast 50 2022 Japan」で1位を受賞。MiiTelは提供開始以降5年あまりで累計ユーザー数は7万8000人、導入社数は2370社。

本書についての
ご意見・ご感想はコチラ

音声×AIがもたらすビジネス革命
VOICE　ANALYSIS

2024年6月28日　第1刷発行

著　者　　會田武史
発行人　　久保田貴幸

発行元　　株式会社 幻冬舎メディアコンサルティング
〒151-0051　東京都渋谷区千駄ヶ谷4-9-7
電話　03-5411-6440（編集）

発売元　　株式会社 幻冬舎
〒151-0051　東京都渋谷区千駄ヶ谷4-9-7
電話　03-5411-6222（営業）

印刷・製本　中央精版印刷株式会社
装　丁　　秋庭祐貴

検印廃止

Printed in Japan
ISBN 978-4-344-94790-0 C0034
幻冬舎メディアコンサルティングＨＰ
https://www.gentosha-mc.com/